「心の掃除」の上手い人 下手な人

斎藤茂太

集英社文庫

「心の掃除」の上手い人 下手な人

斎藤茂太

集英社文庫

まえがき

掃除（そうじ）といえば、普通は、部屋の掃除、家の掃除、庭の掃除……ということになるのだろうが、その前に「心の掃除」も、日々こまめに、やっておきたいものだ。

その日その日をイライラすることもなく、ベソベソすることもなく、グズグズすることもなく、「すっきりとした気持ち」で過ごせたら、どんなにいいか。

ところで、こんな言葉を聞いたことはないだろうか。

「家が散らかっているのは、心が散らかっているから」と。

「心のありようは、部屋の整理（せいり）整頓（せいとん）、片づけぐあいでわかる」と。

ある日、突然、親しい知人が家を訪ねてきたとしよう。そのとき、あなたは、

「久しぶりね。うれしいわ」

と上機嫌な顔を見せながら、頭の中には、「まずい、部屋が散らかっている」という思いが走っているのではないだろうか。

それは、いくら親しい人でも「見られたくない」からであろう。なぜ見られたくないかといえば、自分の「心の中」まで見られるような気がするから……。

訪ねてきた知人にしたところで同じで、「まずい。見てはいけないものを見てしまった」、そんなバツの悪さを感じている。

「部屋の掃除」も、「心の掃除」も、心理的には同じだ。

私たちは、親しい人と会うときでも、

「なんか、今日は、あの人とは会いたくないなあ」

と思うことがある。そんなときというのは、自分の心の中が掃除されていない、がらくたでいっぱいになっているからのように思う。散らかっている部屋を見られ

たくないように、自分の「心の汚れぐあい」を親しい人に見られたくない、そういう心理が作用しているのだろう。

そういう「引け目」を抱えながら人と会うことが、どんなに自分を萎縮させ、自分を卑屈に見せることになるのか。

自信のなさ、心のとまどい、無気力、コンプレックス、品性の欠乏……など、相手の目には、「見てほしくないもの」のすべてが映し出されているのではないか？

そういう恐れる心が、不安とストレスを増大させ、知らず知らずのうちに、イライラ、ベソベソ、グズグズを生み出す悪循環に入ってゆく。

「いまの自分」が、なかなか上手くいかないのは、この悪循環の中に入っているからのように思う。

ここから抜け出すには、どうすればいいのか。そのヒントを考えてみたのが本書だ。

「もっと、すっきり前向きに生きたい人」

「どんな人とも、引け目を感じることなく会えるようになりたい人」

「いつもくよくよしている自分の心を、もっと解放させたい人」

「もっと明るく、はつらつと生きたい人」

……自分のことだと思った人は、まず「心の掃除」から始めるのがいいように思う。

斎藤茂太

「心の掃除」の上手い人 下手な人◎もくじ

第2章 「力を抜く」と力が生まれる

第3章　がんばる人は、がんばり過ぎない

第4章　前向きな人は、失敗から学ぶ

第5章　「自分を好きな自分」をつくる

第6章　「幸運な人」は、その準備ができている

この作品は波乗社の企画・編集で、二〇〇六年二月、
新講社より刊行されました。

第1章　「明るい自分」は朝つくられる

1◎明るい顔と声が「あいさつ力」の基本

あいさつは礼儀の基本であり、人間関係の基本でもある。

この基本がなっていない人は、見方によっては相手を侮辱しているに等しいのであり、だから人と良好な関係を保つのは難しいわけだ。

あいさつは、なにも相手のためだけにするものではないことも覚えておきたい。自分のため、お互いのためにも大きな効果があるのだ。朝、人と会ったとき、

「おはようございます！」

と元気な声であいさつされると気持ちがいい。これは誰だって同じだろう。

どうせなら先手を取って、自分から明るい声を出し、清々(すがすが)しい笑顔であいさつしてほしいものだ。相手は必ず同じようにあいさつをし、微笑(ほほえ)みを返す。この、あいさつと微笑みのキャッチボールが一瞬にして互いの気持ちを晴れやかにする。これが、自分のためになるあいさつだ。

出がけに夫婦ゲンカをしたり、前日に恋人とケンカしたりして、浮かない気分で出社しても、あいさつした瞬間に、笑顔のスイッチが入る。

相手を気分よくさせるあいさつは、自分の心にもいいというわけだ。

どんなときでも、明るいあいさつをする習慣をつければ、「あいさつ力」の効果とでもいおうか、ちょっと憂鬱(ゆううつ)なことがあっても、あいさつした瞬間に気分が変わり、たちまち元気が出る。それまで、クヨクヨし、ウジウジし続けた時間を、あいさつによって断ち切ることができる。そんな力がついてくる。

「まさか、そんなに簡単に、気分は変わらないよ」と思った人は、まだ、「あいさつ力」の効果を信じていない人だ。そして一生、「クヨクヨする自分」「ウジウジす

る自分」のまま過ごすことになろう。

確かに一回や二回、あいさつを元気に明るくしても、「明るい自分」に変わるわけではない。けれども、一週間、二週間と続けてごらんなさい。きっと「あなた、明るくなったね」といわれるに違いない。それは、周りの人のあなたを見る目が変わったということで、そこからが本当に「明るい自分」に変われるときなのだ。

人は明るい人には明るく接する。だから、相乗効果でもっと明るくなれる。

特別、気分がよくないときも、会った人を気持ちよくさせるくらいの明るい笑顔と声であいさつをする習慣を身につけてほしい。

なんの悩みもないふりをして、爽快（そうかい）に声をかけよう。あなたのその笑顔が、みんなの、そして自分の気持ちのいい一日のはじまりになる。

2◎あいさつひとつで、心もひとつになる

芸能界の裏も表も知りつくしている、ある関係者は、デビューしたての若いタレントには、必ず「あいさつの大切さ」を教えるという。

「現場に入ったら、すぐに先輩やスタッフに『おはようございまーす。今日も、よろしくお願いしまーす』と、大きな声であいさつしなさい。それが、長く芸能界で生き残ってゆくコツだ」と。

なるほど、あいさつしなければナマイキなやつと思われるから……というのではない。もちろん、そういう理由もあるだろうが、もっと大切なことは、撮影の現場

に行って、
「おはようございまーす。今日も、よろしくお願いしまーす」
と、大きな声であいさつすれば、すでに現場のあちこちで撮影の準備で忙しそう
にしているスタッフ全員が、それぞれ顔を上げ、
「うおーっす。よろしくお願いしまーす」
と、大きな声を返してくる。
この「あいさつのやりとり」によって、いい空気が生まれてくる。これを「大切
にしなさい」というのだ。あいさつひとつで、スタッフ全員がひとつになり、いざ
本番となったときに、出演者もスタッフも、みんなが「すーっと入っていける」の
だそうだ。
大工の棟梁（とうりょう）も、若い人には、必ず、「現場に入ったら、大きな声であいさつしろ」
と、教えるそうだ。その理由を聞いて、私はちょっと驚いたが、
「元気なあいさつのない現場では、事故が起きやすい」

というものだった。そんな統計など、おそらくあるまい。けれども、棟梁の経験から、実感として身についた哲学なのであろう。

たしかに、朝、現場に来て、誰と顔を合わすわけでもなく、黙って自分の持ち場に行って、それぞれが自分の仕事をしている……このような雰囲気では、事故が起きやすいことは、素人でも想像できよう。

工事現場というのは、もともと事故が起きやすい。朝、顔を合わせたときに、お互いに「声をかけ合う」ことで、それぞれの人に心理的余裕が生まれ、それが事故の確率を小さくしているのであろう。そういう意味でも、あいさつというのはバカにできない。

3◎うまくいけばよし、失敗しても悪くはない

「完璧(かんぺき)な人」「立派な人」になりたいと思う若い人も多いようだが、私は積極的にはお勧めしない。確かに完璧に見える人や立派そうな人を周りの人は尊敬する。けれども、そういう人を愛せるかというと、そうでもないからだ。その「立派さ」は認めても、愛情はまた別だ。

むしろ、どこか欠点があり、ときどき失敗もする人のほうが親しみがわいて、心引かれるのが人であり、愛情が生まれる要因としてはこちらのほうが強いだろう。

「私の彼氏さあ、ホントにドジでさあ。新幹線乗り間違って、新潟に行くのに仙台

に行ったんだって。普通、途中で気づくと思わない？」

「えっ、途中で車掌さんが、切符確認しにこなかったの？」

「それがさあ、ずっとお腹(なか)壊してて、トイレにこもってたらしいのよ」

「あんたも大変だねえ、そんな彼氏じゃ」

「まあね。でも、話を聞いてて、あきないわよ。あはは」

……と、このような男性のほうが人に愛され、誰とも親しくなれる。そう考えれば、失敗は悪いことではない。


小さな失敗なら、むしろ「積極的にやってみよう！」と考えてもいいではないか。目立ってナンボの精神力と図々しさも大切だ。

「失敗したらどうしよう」と考えているとうつむき加減になってしまうから、「失敗したらウケるかも」と考えて試してみるのがよい。

うまくいったら、それはいい。失敗してもウケる。どっちに転んでも悪くないのだから、恐れることはない。明るいパワーが、明るい自分をつくる。

4◎「立派な人」より「愛される人」

性格も決して明るいとはいえないし、自分ではなんの取り柄もないと思っている男性がいた。当然、女性にはなかなかモテない。しかし、ある失敗が彼を引き立たせた。

それは大勢の仲間が集まって、砂浜でスイカ割りをしていたときのこと。彼の番がきた。周りの男たちは大声で「もっと左」「ああ、行きすぎ!」などと、はやし立てる。その慎重な性格から、小股で恐る恐る歩く。

ようやくスイカの前まできたとき、女の子の前でカッコいいところを見せようと

した彼は、バットを上段にかまえ、ジャンプしながらスイカを割ろうとしたようだ。ところがジャンプのときに砂浜に足をとられて前のめりに倒れ込み、勢いあまって顔面でスイカを割ることに。

以来、彼は「顔面でスイカを割った男」として話題になり、存在感のない男から脱却。女性たちとも明るく接することができるようになったそうだ。

失敗しないようにとか、ミスを隠そうとかしていれば、存在感がない。存在感がないから、光が当たらない。失敗してもいい、いや「失敗してやろうじゃないか！」というくらいの気持ちで挑戦するのがいいのだ。

最近のアナウンサーが昔よりも親しみやすく、人気があるのは、プロとは思えないような失敗をしたり、おっちょこちょいの部分を隠さずに見せたりしているからだ。アナウンサーとしてはどうかと思うところもあるが、スタッフが愛されるキャラクターを作り上げた手腕は評価すべきところだろう。

「立派な人」ではなく、「愛される人」を目指してほしい。失敗しても、あははは

はと笑って、あっけらかんとしていれば、いいのだ。

サザエさんだって、財布を忘れて町まででかけたり、魚をくわえた猫を裸足でおいかけたりのおっちょこちょいだからこそ、愛されている。

自分のおっちょこちょいを隠さず、むしろ見せるくらいの強い心が大切だ。それもまた、自分の魅力のひとつと考えればよい。実際、そういうものだ。

5◎人への思いやりが、自分を明るくする

あまり積極性がなく、騒いだりもせず、大人しい……D君もそんな小学生だった。

ところが、小学五年生になってからは、道で会った大人ともあいさつをするようになり、授業中には自分から手を挙げたり、休み時間には友達を誘って校庭で遊んだりもする、クラスで一番の活発な生徒になった。

D君に何が起こったのだろうか。

じつは四年生の終わりから、子犬を飼い始めたことに要因があった。

D君は特別甘えん坊ではなかったが、ひとりっ子だったこともあり、何かにつけ

て母親がつき添うことが多く、自分から何かに働きかけることがほとんどなかった。いつも保護される側にいたために、自分から誰かのために何かをするという意識も乏しかったのである。

けれども、犬を飼うと、そうはいかない。

「自分が世話をする」という条件つきで、ねだって買ってもらった犬だけに、散歩もエサも水も、トイレの世話も基本的には自分でしなければならない。けれども、ときどきサボった。D君がエサをやらなかったり、水をやらなかったりするときは、両親は心を鬼にして、見て見ぬふりをすることにした。犬はかわいそうだが、息子の教育のためにはある程度、仕方がないと思っていたのだ。

案の定、犬は体調を崩した。

横たわったままの犬をD君は母親と一緒に、動物病院に連れていくと先生は、診療してから、「大丈夫だよ。心配ないから」といい、D君は胸をなで下ろしたが、先生は怖い顔をして、もう一言いった。

「お母さん、ダメじゃないですか。もっとちゃんと見てあげなきゃ。犬の命もたったひとつなんですよ。わかってるんですか！」

「は、はい。どうも、すみません……」

お母さんは身を縮めるように頭を下げた。

D君はこのとき、「悪いのは自分なんだ。怒られなきゃいけないのは自分なのに、お母さん、ごめんね」と心のなかで謝ったという。

それからのD君は、犬に対する思いやりだけでなく、母親にも思いやりを持てるようになった。

犬の散歩の途中に買い物の手伝いをしたり、フンの片づけだけでなく、汚れたところも掃除し、自分の部屋の掃除もしたりするようになる。

自分のことだけを考えていたときは、自分が傷つくことばかり恐れ、機嫌が悪くなっていたけれど、相手のことを考えるようになってからは、相手の機嫌をよくしようと気遣うこともできるようになっていく。

そうすると、相手もD君に対して、優しくなる。D君はどんどん明るい性格になり、五年生でクラス替えがあったときには、新しい友達がすぐにでき、クラスの中心的存在になったのである。

これを「子どもの話」などと思ってはいけない。大人だって、同じようなものだ。その証拠に、学生時代は大人しく、明るいとはお世辞にもいえなかった女性が、恋人ができたり、結婚を機に急に明るくなったりすることがあるではないか。

彼女たちも、思いやる人ができたことで、明るくなったのだ。子どもを産んで、見違えるように社交的になった人もいる。

心の底から大切に思い、思いやりの気持ちが強くなり、「この子のためには、幼稚園の父母会の役員くらいやるわ」となって、社交的になっていった人も少なくない。

誰かを思いやる気持ちは、人を明るくし、強くする。強い気持ちさえあれば、心に余裕ができて、自然に笑顔が出てくる。

6◎「腹が立たない」考え方を身につける

マナーやエチケットという言葉が死語になりそうなくらい、不作法な人が多くなったように見える。「最近の若者は……」ではなく、「いい大人が！」といわざるをえないときもある。

電車に乗っていても、優先席に座っていながらお年寄りに譲らないサラリーマン。大きなリュックを背負ったまま、出入り口付近の吊革（つりかわ）につかまっている大学生風の男たち。

「久しぶり、元気だった？」と、とうてい緊急とは思えない電話をかける女性に、

荷物を座席の横に置いたり、股を広げたりして二人分の席を占領する身勝手な人たち。

道路を歩いていても、ちゃんと右側を歩かないから、右を歩いている正しい人間はよけなければいけなくなる。禁煙区域で堂々とタバコをふかし、ポイ捨て。集団で歩道を占拠し、通行人がいてもよけようともしない。

今の時代を一言でいえば「無理が通れば道理が引っ込む」だ。高い倫理観を持っている人は、外に出れば怒ってばかりいなくてはいけないのである。

「こら！　君たち！　ちゃんとルールを守りなさい！」

いえるものなら、いってみたい。けれども、ナイフで刺されるかもしれない。そう思うと注意もできず、そのぶん、うっぷんもストレスもたまる。それでなくても、仕事や人間関係でかなりのストレスがたまっているのだから……。

みなさんのなかにも、こんな思いをしている人がたくさんいるだろう。

自分は悪くないのに、世間の「おバカさん」のせいで、ストレスがたまって仕方

がない。なぜ「おバカさん」のせいで、自分がこんなに悩まなければならないのか、と。

しかし、そんなことで笑顔を失って、いつもイライラしていてはもったいない。有意義に過ごせる時間までも、イヤな思いを抱えていたら、性格まで暗くなってしまう。

そこで考えてほしいのは、怒るのではなく、「バカでかわいそう」と考えること。「マナーを守ることも教えられなかった気の毒な人」と思って、見過ごすのだ。「それに比べて、自分はちゃんとマナーもルールも守れる人間でよかったなあ」と思えば、そう腹も立たなくなる。

会社にもいる、仕事の「マナー無視」の上司や同僚も、みな「かわいそうな人」「あわれな人」なのだ。そう思えば、腹も立たない。怒りのあまり、余計な接触をしてエネルギーを使うこともなくなるではないか。

こういう話をすると、真面目（まじめ）な人は、「そんなの意地が悪い考え方ではないです

か？」と、いうけれど、決して意地が悪いのではなく、ありのままの現実だ。人に迷惑をかけてもなんとも思わない人は、いずれ誰も近づかなくなるから、本当の意味で気の毒な人であり、あわれな人なのだ。

「あわれで、気の毒な人」と、さらりと思うようになれば、今までは腹を立てていた相手が視界から消える。

そうなったらこっちのもの。今まで怒りやイライラで見えていなかった楽しいものが、どんどん目から、耳から入ってくるようになる。

イヤな思いを頻繁にしたり、イヤな記憶を持ち続けたりしなければ、人生はおのずと楽しくなっているものだ。

7◎眉間のシワを伸ばしてやろう！

　結婚して引退したある女優さんは、離婚を機に芸能界へ復帰することになった。その際、彼女は眉間のシワを伸ばすプチ整形をしたという。確かに復帰したときには、眉間のシワはきれいになくなっていた。

　整形かエステか、はたまた離婚によって精神的にすっきりしたことが作用しているのか、その理由はともかく、眉間のシワがなくなることで、人に与える印象が恐ろしく違うことは確かであった。別人のように美しく、明るい雰囲気になっていたのだから。

中小企業で経理を担当しているBさんは、いつも眉間にシワができていた。かなり深く刻まれたシワは、悩みの深さに比例しているようにも見える。

確かに彼は深刻な立場にあった。会社の業績が悪くなり、銀行からはもう融資は受けられない。いや、それどころか、どうやって返済するか、どうやって社員の給料を払うかで、毎月のように頭を抱えなくてはならないからだ。

しかし、各部署からはそんなことはおかまいなしに、経費の伝票が回ってくる。Bさんは自分の苦労も考えず、接待費を使って飲んでいる営業職や、なんの会合かわからない会に会議費を使い、タクシー代を惜しげもなく使う役員に、いらだったり、頭にきたりしながらも、懸命に責務を果たしていた。

しかし、あるとき、Bさんは少しだけ考え方を変えることになる。

それはもっとつらい立場にいた社長の話を聞いたからだった。

「なあ、B君。いつもすまんな。私の力がないばかりに、迷惑かけて」

「いえ、そんな……」

「でもな、大変なのはわかるが、いつもそんなしかめっ面してるのは、やめないか？」

「はあ？」

「眉間にシワを寄せても、寄せなくても結果が変わるわけではないだろう？　でも、自分の気持ちは変わると思わないか？」

「ええ、でも、自然にシワが寄ってしまうんです」

「そうだな。だから、無理矢理、シワを伸ばすんだよ。そうすると、笑顔になるだろ？」

「そうですね」

「そこなんだよ。そうすると、苦しいことも、なんとかなるように思えるんだな。これが大事なんだ」

「そんなもんですかねえ」

Bさんは最初は信じられなかったが、実践するうちに、少しだけ気分が楽になっ

た。そして、今までは、いいたくてもいえなかったことが、口から出るようになったのである。

「営業部にお願いなんですが、二十パーセントほど、接待費を削減してください。今のままだと、半年後にはまったく使えなくなってしまう計算なんです。なんとかそうならないようにしますから、協力してくださいよ」

頭がカッカしていたときは、「この野郎!」と思っていて、口にしたらケンカになりそうでいえなかったことが、気が楽になったとたん、ケンカ腰でなくやんわりといえるようになったのだ。

眉間のシワを伸ばし、笑顔をつくる練習をしてみよう。笑顔をつくることで、心が変わることはよくあること。「形から入る」……誰もが、試す価値は充分にある。

8◎クスクス笑いが、心をほぐしてくれる

ある人によると、現在のお笑いブームは「インパクトや演じる人間のキャラクターの面白さ」に拠るところが大きいという。

そのぶん「芸は浅い」といいたいらしいのだが、私は今の若い芸人さんのセンスあふれる笑いも楽しんでいる。

しかし、心の栄養として考えた場合は少しばかり違ってくる。

瞬間的にバカ笑いするのは、うっぷんを晴らし、ストレス解消には持ってこいである。

ただ残念なことに、爆笑というのは長くは続かない。飛ぶ鳥を落とす勢いで売れていたコメディアンが消えていくのと同じように、大笑いして得た解放感や快感も時間とともに冷めていく。

対して、クスクスッと笑わせる笑いは、うっぷんを晴らすようなパワーはないが、じっくりと確実に、身体に残ってくれる。

藤山寛美さんの喜劇や、古今亭志ん生さんの落語……いろいろ名人芸はあるけれど、思わず笑い声が口からもれてしまうような笑いが、心にはいい。

今の時代、DVDもあればCDもある。亡くなった名人の芸を見聞きして、ほのかに明るい気分になるのは、簡単なことだ。

もちろん、日常生活においても、ユーモアを持って生きたい。

例えば、罪のないイタズラを楽しむのもいい。

Jさんは結婚十年目、子どもも小学校に上がり、家庭ではすっかり母親となり、夫婦の会話といえば、子どもの話くらい。

なんとなく性格が暗くなったと自分でも思っていた。

夫と子どもを送り出し、掃除(そうじ)に洗濯。昼食を適当にとったら、午後のドラマやワイドショーを見て買い物へ。そんな単調な毎日にイヤ気がさしていた。

そんなある日、テレビを見ていると、浮気をした夫に意地悪をする妻の再現VTRがあった。Jさんは「これは面白い」と、早速やってみることにした。といっても、同じように意地悪するのではない。イタズラである。

再現VTRでは、夫が会社に着いて鞄(かばん)を開けると、「今日も楽しそうに出かけましたね。浮気相手と会う日だから？」などと、手紙が入っているという設定だったが、Jさんがやったのは、その逆だった。

夫が鞄を開けると、「今日はすき焼きだから、早く帰ってきてね。遅いと野菜しか残ってないかもよ。（笑）」という手紙だったり、お弁当箱を開けると、新婚カップルのように、ご飯の上に海苔(のり)でハートマークを描いたりしたのだ。

夫は家に帰るなり、

「お前、やめろよなあ。後輩に見られてさんざんからかわれたじゃないか」と不満をもらしたが、その口ぶりから本気でイヤがってはいないようだ。

こうなるとJさんも勢いづく。イタズラ企画を何本か考え、「今日はどんなイタズラしようかなあ」と思うと、楽しくなっていった。

夫のほうも、「さて、今日はどんな手を使ってくるだろう」とワクワクするようになり、逆に「オレも驚かせてやろう！」と、食べ終わった弁当箱に奥さんへのプレゼントを入れたこともあったそうだ。

互いに相手にイタズラをするときにクスクスと笑い、イタズラされたときに、クスクスと笑う。「やった」「やられた」と思いながらのクスクス。

こういうコミュニケーションによって、Jさん夫妻は、お互いの心に引っかかりがあるときにも気分転換できたり、「あいつ、今日は何もしなかったな。身体の調子でも悪いのか、それとも何か悩みでもあるのかな？」と、お互いの状態までもがわかるようになったりしたそうだ。

互いを信用できる親しい間柄では、こういうユーモアを用いたコミュニケーション法も充分可能で、効果的ではないだろうか。

9◎周りを明るくする人が「明るい人」だ

今はもう死語になっているかもしれないが、以前は、「ねくら」「ねあか」という言葉があった。根が暗い人＝ねくら、根が明るい人＝ねあか。

人前で騒いでいても……本当は暗い人がいる。大人しくても本質的には明るい人もいる。つまり、このふたつの言葉のはじまりは「人間の本質的な性格」を見抜いたところに意味があったはずなのだが、言葉がひとり歩きしたときから、ただ単に表面上、明るいか暗いかの意味しかなさなくなっていった。

そして、「ねくら」という言葉は、大人しく、自己主張しないタイプの人に対し

「あなたって、ねくらだよねえ」などと使われるようになった。

しかし大人しいことや暗いことが、そんなに悪いことなのだろうか。やかましい人、騒がしい人、マイペースで人のペースを乱す人や、デリカシーがなく場の空気の読めない人……など、彼らも「明るい人」なのだろうか。そういう表面上明るいだけの迷惑な人よりは大人しく暗い人のほうが数段いいと思う。ところが、そういう明るいだけの人に限って、ちょっと暗い人を見つけては、いじめたりからかったりする。そういう行為をすること自体、本質的には「明るくない人」なのであるが。

さて、そもそも「明るい人」とは、どんな人をいうのだろうか。

自分だけがいつも上機嫌なら、「明るい人」といえるのだろうか。本当の明るさというのは、自分だけが明るいのではなく、自分の周りの人を照らす力がなくてはならない。そうでないのは、「明るい人」とはいえないのではないか。私はそこを強調したい。

少しネガティブな考え方をしがちで、自分では暗いと思っていても、周囲を照らすことができれば、その人は立派な「明るい人」であり、「ねあか」なのだ。

「周囲を明るくする明るさ」には、工夫が必要だ。ただ自分の思い入れを大きな声でアピールしても、それはただの騒音にしかならない。相手がうれしくなるような温かな明るさ、そしてユーモアのある愉快な明るさが欲しい。

お笑いの世界で、若者にウケるネタと老人にウケるネタが違うように、相手によって話す内容も態度そのものも使いわけることが必要なのだ。

そのためには、ユーモアのネタ、楽しい話題、明るくなる話題を日々ストックしておきたい。

テレビを見ていて、面白いと思ったことを日記に書いておく。今流行りのブログに書いてもいい。身近な人に話をしても、記憶に残りやすくなる。

新聞、雑誌、インターネット、テレビにラジオ、あるいは家族や友人との話のなかから、面白いネタを探す。

恋愛上手な男性は、話題が豊富で、ユーモアがあってセンスがいいともいわれるが、このポイントは男女の仲だけではない。

相手の気持ちが明るく温かくなったり、ユーモアによって笑顔になったりすることで、自分が好感を持たれる……これは、友人関係でも職場の人間関係でも同じなのだ。

相手が笑顔になるような話題を豊富にストックすることは、みんなに明るい日射しをプレゼントするようなものだ。そして、そうすることで、自分自身がどんどん光を放つ明るい存在となっていくのである。

「自分が明るい」のではなく、周りの人を明るくするのが、本当の「明るい人」である。

10◎「明るい人」に近づき、「明るい自分」になる

自分の性格を明るいと思えない人は、明るい人に憧れる。けれども、明るい人ばかりのグループのなかには入っていけない。仮に入れたとしても、居心地が悪い。

「みんなすごいなあ。私なんか……」

と、劣等感の塊になってしまうことも多い。

だから、つい劣等感を抱くことのない似たもの同士でつきあおうとする。安心できる大人しい人、自分たちだけでいるときは明るくいられるけれど、みんなの前では借りてきた猫のようになってしまう人と、友達になりやすい。

「類は友を呼ぶ」のは、こういう心理もあってのこと。そうなることは人と人との交わりではごく自然なことかもしれない。

しかしながら、それでは明るくなりたいという希望はかなえられない。大人しい人とつきあっているだけでは、心がなごみはしても、望むような明るさを得ることは難しい。

「朱に交われば赤くなる」のことわざのとおり、自分が得たいと願う明るさを持っている人から、その光を照らしてもらうのが、一番手っ取り早いといえる。

そのために、私がおすすめするのは、その「明るい人」にとにかく「にじりよる」ことだ。自分の存在を意識させ、快く思ってもらうことだ。

例えば、会社の先輩に仕事もできて、明るく輝いている人がいるとしよう。男女を問わず誰からも好かれる女性だ。

こういう存在には、そうそう自分だけが近づくわけにはいかない。同性であっても、嫉妬(しっと)され、仲間はずれにされることもあろう。しかも、競争が激しく、個人的

に話をするのは難しいかもしれない。そこで頭をひねってみよう。

例えば年賀状だ。大勢の人からくる年賀状でも、美しい写真を使ったものだけが注目されるわけではない。手書きで丁寧に、そして好印象を持たれるメッセージを書いたほうが、ずっと効果的だ。その筆跡だけでも、自分をアピールするには充分だ。

さらにいえば、暑中見舞いもある。一番効果的なのは、旅先から絵はがきを出して、暑中見舞いの代用とすること。文面には「いつも、あなたのことを考えています」とは書いてなくても、「旅先にいても思っています」というメッセージになるからだ。

工夫をして、目標になる人に近づき、親しくなる。そうなれたら、必ずいい刺激をもらえ、「明るい自分」になれるだろう。

明るい人の行動パターンをマネするうちに、気分までも移ってくる。「明るい自分」になるためには、自分なりの工夫と努力を要する。

それさえできれば、性格は変わる。明るく、なる。

11◎自前の「行動マニュアル」をつくってみよう

親も手を焼く乱暴な少年が、強くなりたいと思って空手の道場に通っているうちに、きちんとあいさつができるようになり、それまで反抗ばかりしていた親をいたわるようになる。

高校時代は漫画ばかりで、教科書も開いたことがなかった少女が、就職してからは、仕事のために難しい本をむさぼるように読むようになる。

無口で存在感のなかった少年が、親のあとを継いで八百屋の主(あるじ)になったら、近所でも評判の元気な若大将になったり、クラスのなかでも無愛想で通っていた女子高

生が、ファーストフード店で働き始めたら、明るい笑顔を見せるようになったりもする。

人は環境によって大きく変わる。必要に迫られたら、大きく変わりうる動物なのだ。明るく変わるためには、明るくできる環境に身を置くことが一番早い。とはいっても、大人になってから、仕事を変えたり、家庭環境を変えるのは難しい。明るくいられる理想の相手と結婚できれば、それに越したことはないが、それにしても長続きするかどうかははなはだ疑問だ。

ならば、どうすればいいのか。

自らが環境が変わったかのように、心を入れ替えるのが手っ取り早い方法だ。

例えば、人と会ったときは、ファーストフードの店員のように、笑顔であいさつすると、決めごとをする。

朝は「おはようございます！」と、誰に会おうとも第一声は同じ。笑顔も同じでいいと決める。

何かしてもらったら、「ありがとうございます」と満面の笑みで頭を下げる。

心を込めようと思うと、あまり好きではない上司には、いい顔ができない。どうでもいい相手には、いい加減になる。

しかし、マニュアルどおりにやろうとすれば、人間というのはこれができてしまうのだ。

心がないお礼やあいさつはよくない。人はそういうけれど、それでもイヤな顔をされるよりはずっといい。

自然に相手もいい顔になり、明るく優しい対応になってくる。そこまでくればもう安心。親しみのレベルがこのくらいまで高まれば、互いに、心からのいい顔ができるようになる。

いわんとしているのは、気分本位の日常ではなく、行動本位の日常にするということだ。自分の気持ちや気分は横に置いて、ともかく「決めたとおりに行動する」、そういう日常に自分を置くことだ。

マニュアル的でもいいから、明るい笑顔で対応すれば、相手も変わる。それがいつか自分をも変えていくことになる。

もうひとつ、マニュアルのいいところは、きっちりと段取りが決まっていることだ。自分の性格が暗いとか、引っ込み思案だと思っている人は、相手のペースに巻き込まれると、困惑して笑顔が出ない。

しかし、相手が誰であれ、きっちりと段取りができていれば、相手のペースに巻き込まれることもなく、笑顔のままでいられる。

自分のペースでいられるうちは、表情も曇らず、結果もいい。いい結果が出てくれば、表情はどんどん明るくなる。このとき、心の中には「自信」が芽を出し、育っている。

好きだ嫌いだ、暑い寒い、気分が乗らない、眠い……など、そんな気持ちは排し、自分の行動マニュアルに沿って一ヵ月がんばってみよう。日常生活から仕事まで、対人関係の面でも仕事の段取りという面でも、行動本位に徹してみよう。

「明るい人」というのは、「決めたことをきちんとやる」という日常生活をしている。行動本位であることが、自信の源になっている。

「明るい人」=自信のある人、ともいえる。

いつも笑顔でいられる人は、ファーストフード店のマニュアルであろうと、恩師の教えであろうと、「いいなあ」と思う方法をどんどん自分にとり入れている。

そして、自分オリジナルの「マニュアル」を頭のなかでつくり上げている。

人と会って、「ああ、どうしよう」とうろたえるのではなく、すぐに「こんにちは、お元気でした?」と笑顔を見せられるのは、「困ったときはこうする」というマニュアルがしっかりしているからだ。

困ったときの対応法が決まっていれば、人と会うときの不安の多くは解消されるのではあるまいか。そのぶん、日々の気分は楽になっていく。

「明るい人」というのは、自分なりの日常の生活マニュアルがきちんと身についている人、ともいえるように思う。

第2章 「力を抜く」と力が生まれる

12◎「相手の性格は変わらない」

いつも人の悪口をいっている人が、ある日突然、悪口ひとついわなくなるわけもなく、怒りっぽい人が急に穏やかな性格になる可能性というのも限りなくゼロに近い。

前章で「自分は変わる」と書いたばかりだが、ここでは「他人は変わらない」、人の性格が根本から変わることはまずないと考えてみよう。そのほうが、

「あの人って、いつもひがみっぽくてイヤ。なんとかならないのかしら」

「なんで、いつもそうやって悪いほうへ悪いほうへ考えるの。考え方変えてよ!」

と、怒ったり、イライラしたりすることもあるまい。変わってくれるかもしれない、と相手に淡い期待をするだけ自分が苦しむ……そういう「つらさ」を回避できよう。

とはいっても、仕事でコンビを組み、毎日のように顔をつき合わせなくてはならない人には、「なんとか変わってください。お願いします」と祈りたくもなろう。毎日のことだから、つらい。その気持ちはよくわかるが、それなら、相手を変えようとするのではなく、まず自分の考え方を変えてみよう。

「あの性格は変わらない」……そういう前提に立って、「だから、対応を変えるんだ」と、自分のやり方を変えてほしいのだ。

例えば人の悪口ばかりいっている同僚に、「嫌いな人の話をしてると不愉快になってくるから、やめて」と、はっきりという。悪口が始まったら「あ、それより……」と、さっさと話題を変えてしまう。

あなたはこれまで、悪口の俎上（そじょう）に載せられた人をフォローしていたのではないだ

ろうか。「いえ、あの人にもいいところはたくさんある」などと。このような対応を改め、「そういう話は聞きたくない」という強い姿勢を見せるのだ。

こういう態度の落差を見せつけることで、相手の行動は少しずつ変化していく。一週間ぐらいは、その人との関係がギクシャクするだろうが、気にすることはない。その人はその人で、あなたへの対応を考えているのである。人の悪口を聞きたくないあなたに対して、自分はどうすればいいか、と。

性格が変わらなくても、行動が変わってくれたら充分だろう。少しでも方向修正することができたのだから、それでいい。それ以上のことは期待しない……と。

こういう考え方をすれば、友人関係だけでなく、夫婦や恋人との関係も上手くいくのではないだろうか。ほとんどの人は、イヤイヤながらも悪口につきあうから、相手はますます人の悪口に花を咲かせるのである。この悪循環を断ち切るための方策が、「自分の態度を変える」ということだ。相手が変わることを望むのではなく、だ。

性格ではなく、行動を変えてもらう努力をしよう。ひとつひとつ、急がずに。そして、行動が変わったらそこで満足すること。成果があればよしとする。「まだダメだなあ」ではなく「悪口、減ってきたわ」と評価すること。減点法より、加点法で考えたほうが、人間関係も楽しくなる。

13◎「イヤな現状」を変える考え方

生理的に好きになれない上司ともつきあい、イヤミな取引先の人にも笑顔で接しなくてはなるまい。それが仕事、ともいえる。当然、好むと好まざるとにかかわらず、多くの人と出会い、そのぶん、多くのイヤな人とも仕事のやりとりをする。

このようなストレスと不快感は、できるだけ小さくしたいものだ。

そこで必要なことは、「あの人イヤだなあ」という感情的な拒否反応をできるだけ抑える心構えだ。この心構えがない人は、アポイントをとって、実際に会う日までずっと「イヤだ、イヤだ」と思って、憂鬱(ゆううつ)な時間を過ごす。

イヤな思いは実際に会ったときだけでたくさんではないか。会う前からイヤなことを考えるのはやめよう。これはもう、心構えひとつだ。仕事なんだから、その日だけは仕方がない……と、ある種の「あきらめ」の境地になるしかない。

もうひとつ、イヤな思いをしない方策としてイヤミな相手にイヤミなことをいわせないように、ケチをつけられないくらいの質の高い仕事を見せつけることだ。そして、やることをきっちりやったら、クールにふるまい相手との距離を置く。これも「クール・ビズ」だ。

「私はあなたに個人的な興味はない」けれど、「仕事としては、きっちり受け入れますよ」という姿を印象づけてしまえば、傷つけられる度合いは格段に減る。つまり、できるだけイヤミな人と接する必要がない方法をとるのがよい。

そこまでやってもなお、イヤな思いをすることはあるだろう。そんなときは、「今だけだ。すぐに終わる」と考えよう。生涯、ずっと……なのではない。「一生のうちのほんのちょっとした時間。一瞬のことなんだから、我慢して受け入れてやる

か」と。

そう考えれば、相手の前では神妙な顔をしていても、その時が過ぎれば「さあて、終わった、終わった」とサッパリとした顔で次にいける。

どんな相手でも受け入れる覚悟を持ちながら、対応は変えていく。多少の無理はしても、自分から相手との接し方を変えていくことが「イヤな現状」を変えることにつながる。

もし、それでも相手の態度が変わらなかったらどうするか。

さらに態度を変えていけばいい。ここまでくれば根比べ、相手が折れてくるか、あきらめてこなくなるか、「勝負だ!」というくらいの強い気持ちでいれば、「憂鬱だなあ」から、「よし、今日こそは!」と前向きにもなれる。

本当の勝負は、イヤな相手との勝負ではない。

自分がどこまでやれるのか。そういう意味で、自分自身との勝負だと考えよう。

自分を成長させようと頭を切り替えるのが大切だ。

14◎紙に書きなぐって、くしゃくしゃポイがいい

暗い気持ちを継続させないコツは、自分の気持ちを吐き出してしまうことである。
尾籠（びろう）な話になるが、腸のなかにあるものを何日もためておいてはいけない。早く出してすっきりさせたほうがいいことは記すまでもあるまい。

「あんたなんか、大嫌い！」

「上司だからって、そんなにエライのか！　バカー！」

と、怒鳴ったら、どんなにすっきりするだろうか。

しかし現実には、いえない。もしいったら、また新たな、大きな悩みを抱えるこ

とになるからだ。

　そこでいい手を伝授したい。これは私の何十年もの習慣だが、イヤなことは、紙に書いて、うっぷんを晴らしてしまうのだ。

〈H課長のうすらハゲ！　私がちょっと計算間違っただけで、○○さんの前であんなに叱らなくたっていいじゃないの！　私がバカだって思われたらどうするのよ！もう、あんたなんかどこかに左遷されればいいのよ！〉

　と、ノートに書きなぐる。口でいえないくらい汚い言葉を使ってもいい。人様に見せるものではないのだから、どんなに汚い感情であってもよい。相手の似顔絵を描いて、その上からバカ、マヌケ、トンマ……と書きなぐって、あとは、紙をくしゃくしゃに丸めて、ゴミ箱にポイッだ。これで清々とする。

　ストレスは抑えると、圧縮され、爆発するときを待つ。風船のなかの空気のように膨らんでいけば、小さな傷でもパーンと爆発する。そうなる前に、書くことで自分の心のガス抜きをしてやるのだ。そうすると、また課長に叱られても、内心、

「また家に帰ったらくしゃくしゃポイで、こっぴどくののしってやるんだから、ここでは素直に謝っておけばいいや、うひひ……」

と、思える。それで心に余裕が持てる。なんだか、性格の悪い人になるように勧めているかのようだが、本書を手にとるような人は「いい人過ぎる」のだから、「少しワル」になるくらいの心構えでいい。いちいち深刻にとらえて自分を痛めつけても幸せにはなれない。

15◎歩く儀式で、気持ちの「オンとオフ」を分ける

もうひとつ。オンとオフの儀式をつくること。

会社で不愉快な思いをすることは誰にでもあるだろう。イライラすることや、憂鬱な思いをさせられ、仕事が終わっても、気分がめいったままのこともあるだろう。

しかし、その冴えない気分のまま、恋人と会ったり、家族のもとに帰ったりしたら、どうなるか。ほんの些細なことで、口ゲンカになったり、心配をかけたり、不愉快な気分にさせたりしてしまうことになるに違いない。

「なに、イライラしてるんだよ」

「イライラなんかしてないよ」
「してるって！」
「もう、うるさいなあ」
「じゃあ、勝手にしろ」

大好きなはずの恋人とケンカしてしまった原因をよくよく考えてみると、上司に理不尽な仕事を押しつけられた不満がイライラになって残っていたり、まるで進まない仕事で悩んでいたり……といったことだろう。これが先ほどの風船のなかの空気が膨らんだ状態だ。そういう気持ちのまま人と接するから、ちょっとしたことでカチンとなり、ケンカに発展しやすい。

そうならないためには、仕事とプライベートの間に、気分の切り替え区間を設けることが必要だ。

よくあるのが、「スポーツジムに行って汗を流す」「ヘッドホンステレオで大好きな音楽を聴く」「幻想の世界へ誘（いざな）ってくれる小説を読む」、あとはおなじみの「パチ

ンコ」や「駅前の居酒屋で一杯」という手もある。

私がお勧めするのは「歩くこと」だ。怒りやイライラには、歩くことも効果的だ。知人は、ちょっと気分が冴えないときは、最寄り駅のひとつ前の駅で降りて四十分くらいの道のりを歩き、家に帰ったらすぐにお風呂(ふろ)に入るそうだ。

家族もその儀式のことはよく理解していて、電話一本で四十分後にはお風呂にお湯をためておいてくれることになっている。本人も家族も、その儀式によって平和が保たれていることを知っているのである。

みなさんも、自分なりのオンとオフを切り替える儀式を考えてみてほしい。その儀式を習慣としてとり込んでいるかどうかで、心の幸せ度は大きく変わってくる。

16◎下手(へた)な考えより「よく眠り、よく食べる」だ

つらいことがあると、その苦しみは永遠に続き、「一生、このまま」のように思えてくるものだ。世界中の悲しみや苦しみをひとりで背負っているような気にもなり、「ああ、夢も希望もない。私の人生はこれでおしまいだ」と考えて、日々鬱々と過ごす。

そういう人にいいたいことは、あなたは、まず視野がとても狭くなっている、ものの考え方も小さくなっている、と。

よく考えてごらんなさい。これまでにも、そんなことは何度かあったはずだ。受

験に失敗したり、恋人にふられたり、大切な物を失ったり、やってはいけない過ちを犯したり。

そのたびに「もうダメだ」と思っても、今思い出せば「あのときはつらかった」という程度の、どちらかといえば「いい想い出」になっているものがほとんどではないか。

そうなのだ。苦しみというのは、私たちが思うほどには継続しない。月日がたてば痛みは和らぎ、自分では気づかないうちに、自分が強くもなっている。これまで苦しみを乗り越えてきたぶんだけ、知らず知らずのうちに成長しているのだろう。

風邪(かぜ)をひいたら、栄養や水分をとってよく眠る。そうすると三十八度もあった熱が、明け方には平熱になっていることもある。

眠って起きれば、明日になるのだ。どんなにつらくても、明日になれば、明後日(あさって)になれば、その痛みは軽くなっていく。「痛みは継続しない」と考えて、よく眠ることが、つらい状況を変えていく原動力にもなっていく。

「これを食べたら幸せになれる」というものを腹一杯食べるのもいい。

わが知人は、暗い気持ちになったとき、故郷の郷土食である「いも煮」を食べると落ち着いた気分になるという。

またある知人は、箱入りのウニをひとりで全部たいらげると元気になるという。

若い知人は、「牛丼でもカツ丼でもいいんですが、大盛りでバクバク食べると、ストレスなんか飛んでいきますね」という。

運動部でがんばっていた人は、部活動の帰りに食べた大盛りのタンメンを食べれば、若き日を思い出し、エネルギーがわき出してくるという。

食というのは、心に大きな影響を与える。

頭では忘れていることも、味覚や身体は覚えているのだ。

人間関係や仕事が原因で、気が晴れないときは、そんな自分の身体中で眠っている元気の素を蘇らせてやろう。頭より先に、まず身体に「いい刺激」を与えるのだ。

ちょっとくらい食欲がなくても、子どもの頃から大好物だったものを思い切り食べてみる。その満足感が、心のストレスを逃がしていく。

「好物食い気分転換法」は、誰にでも有効に働く。

17◎小さな仕事はさっさと片づける

ウジウジと悩みを持ち続け、心のなかにゴミがたまっている人は、小さいことも面倒くさがって後回しにする傾向が強い。

「二十日までに自動車税を振り込まなきゃいけないけど、面倒くさい……」

「同窓会の出欠の連絡をしなきゃ」

「そういえば、課長に資料整理を頼まれてたっけなあ」

「トイレットペーパーがなくなりそうだから、そろそろ買わなくちゃ」

「冷蔵庫の隅に賞味期限が切れた豆腐があった……」

やらなくてはならないことを、いくつも抱えながら、手をつけない。ひとつひとつを考えれば憂鬱になるほどのことでもないのに、そのうちにやろうと先送りし、仕事をためてしまうから、どれもやりたくなくなるのである。

みなさんには、心当たりはないだろうか？　とりあえず、ひとつ、ふたつでもすぐに片づけてしまおう。そのひとつ、ふたつを片づけることが、今抱えているもっと憂鬱な問題から解放されることにつながる。

こういうときというのは、大きな問題で手強（てごわ）い感じがするからグズグズしているのではない。ほかにも、小さいけれどもやるべき問題を抱えているから、なにかと気が重くなっているのだ。その部分を解放できれば、気分が軽くなり、本当に手強い問題にも精力的に向き合えるはずだ。

小さいことでも、ひとつ片づければ「よし、終わった」という充実感や達成感も味わえる。

生活や仕事の節目もでき、気分もしゃきっとする。

途切れ途切れだった思考回路が、ピンッとつながる。

「面倒だなあ」と思っていることでも、一歩進めば大丈夫。

エンジンが温まってくれば、それまでの苦しみから離れ、それこそ苦もなくできることがたくさんある。

西川きよしさんではないが、「小さなことからコツコツと」と思って、小さな面倒なことを解決していってほしい。

「まあ、後回しでいいや」と、先送りするのではなく、小さなことこそ、早い機会にやっつけてしまうこと。この習慣が、心のなかにゴミためをつくらずに、晴れやかな気分をつくるコツではないだろうか。

18◎粋(いき)な人は「宵越しのグチ」を持たない

「あのとき、こうしておけばよかった」

「もっと上手く説明できたら、結果は違っただろうなあ」

「悔しい！　なんで私が彼女なんかに負けるの……」

と、悔しかったり、情けなかったり、後悔したり……ということは、みなさんも思い出したらキリがないだろう。ついグチったり、未練がましいことを口にしたりしたこともあるだろう。

しかし、グチをいう人は、何度もグチをいうことで、不快な気分を継続させてし

まっていることに気づいていない。

英単語や、歴史の年号を覚えるとき、みなさんはどうしただろうか？
単語と和訳した意味を交互に読んでは、〝繰り返し〟学んだはずだ。歴史の年号も、「一一九二（いい国）つくろう、鎌倉幕府」などと、何度も何度も、繰り返すことで、記憶に刻み込んでいったはずだ。

グチも同じで、反復することで、イヤな記憶を深く脳に刻んでしまうことになる。
傷ついたり、頭にきたりしたら、「チクショー！　あのバカ！」と、少し酔った勢いで、グチをいってもいい。晴れない気分を抱えているよりも、発散してしまったほうがいい。しかし、いうだけいったら、もう振り返らないことだ。
「あいつ、陰で、私にこんなに罵倒されてるのも知らないで、いい気なもんだ！　うははは……ああ、いい気分」と、笑い飛ばして、気持ちのケリをつけよう。

その昔、江戸っ子は「宵越しの銭は持たねえ」といって粋がったらしいが、現代人は「宵越しのグチは持たない」が、粋でストレスの少ない生き方なのだ。

19◎暇人になるな、自分を忙しくさせなさい

いつまでもウジウジと考えている人は、暇な人だと自覚しよう。

政治家にしても、IT長者にしても、普通ならば「どうしよう……」とか、「もしかしたら、これで私も終わりか……」というくらいに追いつめられた事態になったこともあるだろう。眠れない夜が続いているかもしれない。

けれども、見た目は堂々としている。このような動じない振りができるのは、日々のスケジュールがぎちぎちで、たくさんのことをやらなくてはいけないから……そういう一面もあるように思う。いちいち悩んでなどいられないということだ。

そして、ひとつひとつをこなしていくからこそ、「まだ私は大丈夫だ」という自信につながっていくのであろう。

「ああ、彼女にいわれた一言が気になるわ。私って、そんなに雑な仕事をしているかしら」

……と、同僚にいわれた言葉が引っかかり、いつまでも気分が悪い。自分が悪いのか、相手に悪意があるのかはわからない。別の同僚は、「あまり、考えないでいってるのよ。そういう無神経な人っているじゃない。気にしない、気にしない」といってくれるが、頭にこびりついて忘れられない。

こういうことは、誰にでもあるだろう。しかし、ぼんやりとそんなことを考えているから、ますます気になってくるわけで、何かに没頭してしまえば、とても「小さなこと」で、いちいち気にしていられないはずだ。

スキルアップに励むのもいい。趣味の世界で思い切り楽しんだり、身体を動かしたり、映画を見たり、友達と会ったり……やることはいくらでもある。自分の手帳

をスケジュールで真っ黒にしてみては、どうか。見たくもないテレビをつけているから、ぼんやりと余計なことを考えるのだ。

ハツラツと生きている人は、とても多忙だ。

みなさんの周りにいる人を、思い浮かべてほしい。土日は家でゴロゴロタイプはグチっぽいけれど、土日にダイビングに行ったり、習い事をしたり、「どこにそんな時間があるの?」というくらい活動的な人は、気持ちの切り替えが上手で、ウジウジもしていなければ、グチを聞いたこともないだろう。

「気持ちが停滞してきた」と思ったときほど、自分を忙しくさせよう。友人と会う約束をとりつけ、自分を活動的にしてやろう。

ぼんやり時間をなくせば、「充実している」と思える日が来る。

20◎長い惰眠より、短い快眠を

気持ちの切り替えが必要なときは、どことなく身体が重い。精気が抜けたかのように気だるさが消えない。

「こういうときは、しっかり寝るに限る」……と、普通の人は睡眠時間をたくさんとろうとして、早く寝たり、休日なら朝寝坊したりするだろうが、おそらく気分も身体の重さも変わらない。

気分転換の上手な人は、睡眠時間や起床時間をあまり変えない。いつもより三十分前に寝たりはするが、大きく時間を変えて生活リズムを狂わすことが身体の不調

にもつながることを知っているからだろう。

長時間寝るのではなく、より深い眠り、中身の濃い眠りを選ぶ。それが気分転換のうまい人の方法だ。そのために何をするかといえば、例えば、身体を動かしたり、声を出したりできるような環境に自分を持っていく。踊ったり、カラオケで大声を出したりするのもいい。お風呂に長く入ってリラックスするのもいい。

日中には少し日の当たる場所を歩くのもいいし、適度に温かいものを食べるのもいい。寝る前には物を食べず、温かいミルクを飲むとか、就寝前一時間くらいは、テレビを消して、少し暗くした部屋でゆったりとした音楽に耳を傾ける。

モーツァルトやシューベルトの子守歌とまで凝らなくてもいいが、穏やかな曲調で興奮しないものが望ましい。

要は、いつも寝る時間帯に、より深い眠りを得るための工夫を習慣づけている。

そして、朝は軽快に目覚める。

びっくりして飛び起きるような目覚ましではなく、ボリュームを小さく設定した

テレビのタイマーで起きるのはどうだろう。できるなら朝日が射し込んでくる部屋が望ましい。人間は明るさを感じてから目覚めると目覚めがいい。

自分にあった睡眠法、そして起床法を試行錯誤してみてはどうか。もちろん、低反発枕やパイプ枕などの寝具も含めてである。

21◎「力を抜いてもいいポイント」を探せ

長い間、私がいい続けていることに「八十パーセント主義」がある。重箱の隅をつつくようなことにこだわったり、完璧(かんぺき)を望んだりするのはやめて、「八十パーセントできたらよしとし、次に進む」くらいの気持ちでいようということだ。

航空機の整備や自動車の開発、あるいは手術や薬の投与などに関しては、完璧を期さなくてはいけない。いや、百パーセント間違いないと思っても、万が一のために、何段階かのリスクマネジメントが必要である。

しかし、われわれの日常生活においては、ポイントさえしっかりと押さえていれば、おおかたのことは八十パーセント、いや及第点の六十点さえクリアすれば、ほぼ大丈夫なのではあるまいか。

気分転換できない人は、その「力を抜いてもいいポイント」がわからない人なのかもしれない。「いつも一生懸命」というのは精神論としては価値もあろうが、実際にやれば、自分の健康にも害を及ぼし、自分の能力を発揮するのに弊害になっていることも多い。

サッカーの試合を見ていると、名選手といわれている人は、ボールと関係ないポジションにいるとき、こっそり休んでいる。意識はボールにも選手にも向いているが、身体は明らかに弛緩（しかん）している。

だからこそ、ボールが自分のエリアに動いたときに集中できるのだ。

一方、いつもボールの行方に一喜一憂している選手は、いざというときに疲れがたまって思うように身体が動かない。いいプレーができないから、動いていないと

不安で落ち着かなくなる……そんな悪循環に陥っている。

「今は六十パーセントでいい」「よし、ここは九十パーセント以上でいこう」「今こそ全力だ！」……と、状況に応じた切り替えを心がけてみよう。

これは、生きるための訓練と心得てほしいところだ。イヤな気分になることも少なくなり、意識的に気持ちを切り替えようとしなくても、いつのまにか六十～百パーセントの間をシフトチェンジできるようになっていくものだ。これができると、人生はだいぶ楽になる。

そんな考え方のコツをつかめば、確実に気分は切り替わっていく。

22◎色と香りの「五感刺激」で気分転換を

アロマテラピーは、若い女性なら、何度か試しているに違いない。

ラベンダーの香りでリラックスしたり、メンソール系の香りで目覚めをよくしたり、レモンのような柑橘系(かんきつけい)の香りで元気づけたり……というウンチクは女性誌を読んでいれば、いくらでも登場してくるだろう。

よく行われている実践法は、お風呂にアロマを含んだ入浴剤を入れて、リラックスすることだろうか。

これよりもう一歩進んだのが、お湯に数滴たらしたアロマオイルを温めて気化さ

せるアロマポットで、蒸発したアロマの香りが空気中に漂い、これもかなり心地よい。電球の熱で直接アロマオイルを加熱するアロマランプもある。

まあ、アロマテラピーについては専門の人に相談すればいいのだが、香りは、記憶や身体、精神面にも多分の影響を及ぼすことがわかっている以上、有効に使ったほうがいい。

匂い（にお）は想い出と深くつながる。町中を歩いたり、旅の途中だったりで「あ、この香り、どこかで……」と、遠い記憶を思い出すことがあるだろう。

子どもの頃に食べた料理の匂いであったり、隣の家から流れてくるイヤな臭い（にお）であったり、いい想い出だけではないが。

知人は、サンオイルのような甘い香りがしてくると、海に通って女の子と過ごした青春時代を思い出し、なんだか落ち着かなくなるそうだ。

気分の冴えないときは、自分にとって一番、ハツラツとできるアロマの香りを部屋中に充満させよう。リラックスしたいときも、同じ。お気に入りの枕のピロケー

スにポプリの入った小袋を入れて寝てもいい。

香りで気持ちも身体も変わることを利用してもらいたい。そして、そのときに、ぜひ部屋の色にも気を使ってほしい。

部屋の壁を暖色系にするとか、寒色系にするとかは大変だろうが、明かりで雰囲気を変えるのは意外に簡単だ。

電球の光で暖かい雰囲気を出したり、蛍光灯で明るくしたり、赤いライトを灯したり、緑や赤のステンドグラスでつくられたスタンドの明かりを灯したり……。そういう演出によって、自分を解放し、生き返らせるイメージを持ってみよう。

「これは、こう考えて！ あれは、ああでなきゃ」と、頭のなかでなんでも解決しようとするのではなく、五感からの刺激を心に作用させていくことも、気分の切り替えには有効である。

23◎ケ・セラ・セラ、あなたの将来も「なるようになる」

クヨクヨしない一番の方法は、「過ぎたことは仕方がない。人生は、なるようになるさ。明日は明日の風が吹くっていうじゃない！」と思って生きることだ。あれこれ考えるのはやめて、時の流れに身をまかせるように生きる。これもひとつの方法であろう。

しかし、気分転換の下手な人はそれができない。不安が先に立ち、あれこれ失敗したり、苦しんだりしてしまうシミュレーションを繰り返す。

「私がこんなことをいったら、あの人は怒るだろうなあ。その場だけじゃすまなく

て、あとあとまで意地悪されそうだなあ。でも、彼女のいうとおりのことはしたくないし。どうしよう……」

と、悪いことばかり考えてしまう。

「また失敗しちゃった。彼、私に幻滅しただろうなあ。嫌いになったかなあ」

と、心配ばかりしてしまう。

ウジウジしている人には、運は回ってこない。うつむいている人は、気分など晴れるわけがない。

「ま、仕方ないか。なるようになるさ。努力だけはしよう!」

と、割り切ってポジティブに行動してみることが運を呼び込むのだ。

そのためには、行動を変えることだ。行動をテキパキとすること。身の回りを整理したり、掃除（そうじ）をしたり、洗濯をしたり、スケジュールを入れて忙しくしたり、時間も空間もきれいにするのだ。

いろんな面で整理がつけば、「心の掃除」もできる。すっきりした気持ちになれ

ば、ケ・セラ・セラと、悠々とかまえることができるのである。

どんよりとした気持ちのまま、ベッドの上で寝転がっていたのでは、少しも変わらない。ちょっと動いてみると、気持ちが少しずつ変わっていくのがわかる。

そこまできたら、外に出よう。公園でもいい、植物園でも水族館でもいい。人間以外の生き物たちの生命の息吹（いぶき）を感じてほしい。不自由ななかで懸命に生きている姿を見る。

いくら努力しても好きな場所に植え替えられることのない植物。檻（おり）のなかでも懸命に生きる動物、水槽のなかで泳ぐ魚たち。

心がすっきりしたら、そのけなげな姿に勇気づけられるだろう。彼らの立場になってみれば、今の自分はなんでもできる。これからのことは「ケ・セラ・セラ」と思えるに違いない。

そう思えたら、もうこっちのもの。何かが、あなたの背中をそっと押してくれるはずだ。

第3章　がんばる人は、がんばり過ぎない

24◎階段の踊り場では、きちんと休憩する

頑張るという漢字をバラしてみると、「頑に張る」。つまり、「無理をする」「頑固になる」「考えを押し通す」「意地を張る」という意味につながっている。そう考えると、「がんばる」ことは、あまりいい意味にも思えなくなる。

というのは、がんばり過ぎれば、がんばったことは報われたとしても、なにか大切なものを犠牲にしたり、失ったりするのも当然のことのように思うからだ。

仕事に精を出し、必死にがんばったお父さんたちの多くが、家庭という大切なものを失っていく姿はみなさんも見聞きしたことがあるはずだ。

老舗(しにせ)を守り、繁栄させていく過程で、あまりにがんばり過ぎて、子どもをほったらかしにしたばかりに、とんでもない放蕩息子(ほうとうむすこ)を育ててしまった店主もいる。商品開発ばかりがんばっている間に、経営が傾いて会社を手放さなくてはならなかった経営者もいる。

企業戦士として、必死にがんばりながらも、家族のために睡眠時間を削り、往復四時間も五時間もかけて遠距離通勤し、身体(からだ)を壊して突然死したお父さんは、はたしてどれくらい、いるだろうか？

人には脇目(わきめ)も振らず、がんばらなくてはいけないときもある。多少の犠牲を払ってもがんばり続けなくてはいけないと思うこともあるだろう。

しかし、何事をするにも「過ぎたるは及ばざるがごとし」の言葉を忘れてはいけない。

そもそも、日本人は「がんばる」ことを意識しすぎる。スポーツ選手にも、芸能人にも、常に「がんばって！」と声をかける。

懸命にがんばっている人にも、あまり深く考えず、「がんばれ！」という。相手にしたら、「お前こそ、がんばれ！」といいたくもなる場合でも。

この風潮には、もう乗らないようにしたほうがいいのではあるまいか。

「がんばって！」と相手に命令する言葉はやめて、「いつも、応援していますよ！」と自分の思いを伝えるようにしたらどうか。

こういう言葉のやりとりの変化によって、世の中の意識は少しずつ変わっていく。

がんばり過ぎて、自分に負担をかけてしまう人には、もうひとつ、ある特徴がある。それは例えていえば、気合いで乗り切ろうとするあまりに、キツイ勾配(こうばい)の坂を一気に登ろうとすることだ。

25◎「休む力」のある人が長くがんばる

アメリカでも日本でも、高層ビルの階段を一気に駆け上がる競走があるが、なんの訓練もしていない人がチャレンジするのは無謀であろう。チャレンジ精神には感服するが、「年寄りの冷や水」としか思えない人もいる。

階段をのぼるときは、階段が長ければ長いほど、疲れたら踊り場で休むことが必要だ。そうしなければ、身体の弱い人は命を落とすかもしれない、実は「危険な競技」なのだ。

ここで私がいいたいことは、大きな挑戦であればあるほど、無理は禁物というこ

と。最初から全力で飛ばすようなリスクを増やすべきではないということ。ある段階までやったら、休み、そしてまた進むこと。この「自分の体調と相談しながら進む」という手法が大人の選択である。

できれば「ワンステップ上がったら、休もう！」、あるいは「二段階まで進んだら、一呼吸置いてみよう」と、あらかじめある程度の予定を立てる。階段の踊り場で休みをとり、呼吸を整えるように、余裕を持った計画を実行する。

それは、マラソン選手が、水分補給の計画を立てておくのと同じ。気温や自分の身体と相談しながら、どこの給水所で給水するかを臨機応変に決めていく。

計画性に、柔軟性を兼ね備えた方法が必要なのだ。

人生には、目に見える踊り場はない。給水所もない。だからこそ、自分を休ませる踊り場＝給水所を自分でつくらなくてはならない。

年齢を重ねていくうちに、体力も落ちていく。今までは「徹夜してやればいいや」と思っていたこともできなくなる。疲れがとれにくくもなる。

金属疲労で鋼(はがね)がポキンと折れるように、心にも身体にも疲れがたまっている。そうならないために、「休憩をとる努力」をしてほしい。勇気を持って休むこと、だ。

休まない人は、自分が「休んだら会社が大変なことになる」と思いがちだが、そうはならない。あなたひとりが休んでも休まなくても、会社はなんの変哲もなく動いているはずだ。それが組織体のいいところだ。

26◎がんばり過ぎない知恵を持とう

はたして、努力すること、がんばることは、みんながみんな思っているほどいいことなのだろうか。もちろん「いいこと」のほうが多いだろうが、見えないところで「よくないこと」も進行している。

例えばこんな話。

子どもの受験に必死になる親がいる。「子どもには最高の教育を受けさせたいの」という親心はよくわかる。しかし、そのためにがんばる母親の姿は、ときとして最低の家庭教育を施している場合もある。

がんばればがんばるほど、子どもはイヤな思いをし、ひねくれたり、不満がたまったり、萎縮（いしゅく）したり、成長を阻害されたりして、本当の願いである「子どもに幸せになってほしい」という大切な部分を欠落させてしまう……そういう母親もいる。「最高の教育」をスローガンにがんばっているうちに、「がんばる自分」が主役になり、いつの間にか子どもの幸せではなく「自分がどこまでできるか」への挑戦になっていることがよくある。

がんばり過ぎが、本来の目的をぼやけさせ、がんばること自体に意味を見出（みいだ）すようになる。そうなる前に、自分は何を望んでいるかをきちんと整理すること。

そして、自分のことだけでなく、自分にかかわるあらゆる人が、どう感じ、どう思っているのかにも、思いをめぐらせてほしい。これができずに、ただがむしゃらになっている人は、

「私がこんなにがんばっているのに！　なによ、あなたたちは」

と、自らをイライラさせている。これは、がんばり過ぎて周りが見えていないか

らだ。熱くなったときほど、考え方の整理をしておき、風通しをよくするのがいいだろう。

それができたら、必要以上にがんばることもない……と思えるだろう。今、「必要以上に」と書いたが、これは次のようなことだ。

いっときの思いで高級品を買い、そのローン支払いのためにがんばって仕事をする……そのためにいろんなものを失っているのに気がつかない。家族や恋人、友人や同僚との大切な時間を削ったり、将来のために蓄えるべきお金を失ったり……などを。

「あなたくらいの年齢になったら、毛皮のひとつくらいないと」

「そうよねえ。もう、フェイクじゃダメよねえ」

と友人に勧められた毛皮を買って、そのあとはローンの支払いで苦しむ……これが「必要以上のがんばり」だ。

私がここでいいたいことは、できるだけ身軽に生きたほうがいいということだ。

物欲や見栄のために、自分を縛り、縛られたままがんばる姿というのは見苦しい。一瞬の楽しみより、計画的に考えて余裕を持って生きるのが、大人なのではないだろうか。

27◎がんばり方にもスタイルがある

常に「がんばればいい！」と思っている人は多い。折れ線グラフでいえば、高い位置で、さらに右肩上がりの直線で伸びているようなイメージだ。ＭＡＸの状態で努力し続けるのが理想だと思っていたら、これはいずれ、がんばり過ぎがたたって破綻（はたん）する可能性も高い。がんばり過ぎの指数と破綻の指数は、ほぼ比例するだろう。がんばり度を表す折れ線に、変化をつけてみよう。いつでもＭＡＸに持っていけるように心も身体も温めておくけれども、がんばり過ぎない……そういうスタンバイ状態でいて、「ここぞ」というときに全力を注ぐ。

「がんばり方」の上手な人は、ふだんは隠れていても、「ここぞ！」というときに頭角を現して走るものだ。むやみに「がんばるだけ」ではなく、ポイントでがんばるのだ。

そして、努力の仕方も考えてみたい。

同じ職場でまったく同じ仕事をしていても、「がんばっても、いい結果の出ない人」もいれば、「がんばっただけの結果を出す人」もいる。

「がんばっても結果の出ない人」というのは、傍目（はため）にも本人の意識からも、「がんばっている」のだが、ミスが多かったり、努力の割りには報われなかったりするのは、どうしてか。

そこには、ある共通した原因がある。

そのひとつは、ピント外れな努力をしていることだ。

28◎ピント外れの努力をしていないか

例えば、植物を育てるとき、普通は水をちゃんとやり、日光を当てることに重点をおくだろう。肥料を与えたり、虫がつかないようにしたりする工夫も必要だが、まずは植物の生命を守ることを中心に考える。

ところが、ピント外れの努力をする人というのは、きれいに剪定(せんてい)したり、虫がつかないように薬をまいたり、あれやこれやの多くのことに努力するあまり、肝心な部分を怠っているのだ。庭木を美しく刈ったところで、植物が枯れてしまっては、「努力の形」が残らない。それは「いい結果が出ない」ということだ。

もうひとつは、努力の手法が間違っている場合。新米主婦の料理を例にとると、料理の本を買い、完璧（かんぺき）といえるくらいのレシピを学ぶ。調味料もあらゆるものをそろえ、素材も一流のものを買ってくる。夫が帰ってきたときには、毎日のように、一流レストラン並みの料理ができあがっている。

しかし、夫は喜んでくれない。さて、どうしてだろうか。

理由は、この主婦は肝心なポイントをはずしているからだ。

そのポイントとは、「夫が何を食べたいか」である。どんなに自分では美味（おい）しいと思うものでも、食べてもらう相手の好みに合わなくてはいくら努力しても「美味しい」といってもらえるはずがない。

そのくせ「私はこんなにがんばっているのに！」という気持ちだけが強く出てしまうから、押しつけがましくなり、相手をますますイヤがらせることになる。

一方、あまり努力していないように見えるけれど、いい結果を残している人はというと、あまり細かなことは気にしないものだ。

樹木には水と太陽の光を与え、虫や栄養、剪定など本筋でないことは、ときどきチェックして、必要なときだけでいいと考える。ポイントだけははずさない、二次的なことに労力を傾けないのだ。

料理にしても、「相手は何を食べたいのか」に、焦点を絞る。そして、味つけや料理法はひとつずつ学んでいけばいいと考える。

夫が好きな煮物をつくるとしても、最初はただ醬油（しょうゆ）と味醂（みりん）だけのような味付けでも、つくるたびにショウガや酒、昆布出汁（こぶだし）などを加えて上達していけばよい。

少しずつがんばっていけばいいのだが、いきなりがんばり過ぎて、あれもこれもやろうとするから夫婦ゲンカが始まるのだ。

自分の努力より、相手の希望や状態を知ることが肝心だ。

29◎取り越し苦労の「がんばり過ぎ」はケンカの素

最近仲よくなった友達と一緒に出かけることになったKさんは、待ち合わせの場所に出かけた。最初の約束ということもあり、少し緊張しながら、約束の時間より十五分前から待つことにした。

しかし、約束の時間になっても、友達はこない。

「電車が遅れてるのかも」

そう思って待ったが、十分たっても、二十分たっても友達はこない。

「もしかしたら、私、場所間違ったのかしら。どうしよう……」

携帯電話に電話してみたが、出てくれない。

「怒ってるのかなあ……」

Kさんは心配になって、頭を抱えた。

しかし、それから三分後、友達は悪びれたふうもなく現れ、

「おはよう。じゃあ、行こうか」

と、にこにこ顔。Kさんは、猛烈に腹が立った。

「どうして時間どおりにこなかったの。それに、メールくらいできたでしょう！」

この一言で大ゲンカが始まった。

さて、みなさんは、どう感じただろうか。

「遅刻しても、謝罪の言葉もない友人が悪い」と思っただろうか。

「少しくらいの遅刻でそんなに怒らなくても」と思っただろうか。

遅刻しても謝らない友達が悪い。携帯電話でメールができるのに、なんの連絡もしないのでは言い訳ができない。おまけに謝罪もないのだから、怒られるのは当然

であろう。

しかし私は、Kさんに、「取り越し苦労はおやめなさい」といいたい。

Kさんが腹が立ったのは、友達が遅れて連絡もなかったことではあるけれど、ずっと早く来ていて、「長時間待った」ことも要因のひとつになっているのではないか、と思うからだ。

そして、待たされたぶんだけイライラし、「自分が待ち合わせの場所を間違ったんじゃないか」と思い込み、相手に対して「申し訳ない」という気持ちを持ったのに、相手は遅れても自分に対して「申し訳ない」という気持ちがない、そのギャップに猛烈に腹が立ったのだ。

自分と同じレベルで、相手にも「申し訳ない」と思ってほしい……その気持ちはわからないでもないが、そういう思考は自分を傷つける。今すぐ、考え方を変え、相手への対応策も変えたほうがいい。

時間は守るが、そんなにがんばらない。約束の場所をしっかり確認し、時間どお

りにこなかったら、自分が悪いなどと考えるのではなく、ゆっくり待つ。

そして、「なんで遅れたの！」と、一言怒ったあとは「三十分遅刻だからね。時給千円として、五百円分おごってもらうからねえ」とにこやかに責めよう。

怒るときも、がんばらないほうが、相手も気持ちよく折れることができる。がんばって怒るから、相手もがんばって反論してくるのだ。ここは、がんばらないで責めることによって、相手も「同じレベル」で折れてくれることを期待しよう。人には、人と「同じレベル」に合わせたい、そういう心理がある。それを引き出すのだ。そうやって楽しい食事時間を共有したあとは、すっかり水に流すのがいいのだ。

30◎「～しなくては」の気持ちが、自分を窮屈にする

とても努力家なのに、周りの人に煙たがられてしまう人がいる。がんばっているのに、不満ばかりため込んでしまう人もいる。

そんな人の姿が、どこか窮屈そうに見えるのは私だけではあるまい。

■「～しなくてはいけない」という強迫観念。

■「～しなきゃダメだ」というあまりにも生真面目(きまじめ)な正義感。

■「なぜ、私が思うように、みんなもやらないんだ」という価値観の狭さ。

勉強するにしても、仕事をするにしても、人には人のやり方がある。英単語を覚えるとき、自分は丸いリングで綴じたカードを何度も見て覚えたとしよう。それでいい高校にも一流といわれる大学にも入ったとする。

だからといって、子どもや生徒に「希望校に入るには、この方法しかない」と教えるのはおかしい。同じ高校、大学に合格した学生のなかには、必ずや単語集をそのまま使って合格した人もいれば、また違った覚え方をした人もいるからだ。

つまり、価値観が狭くなると、自分の今のスタイルから抜け出せない、ほかの方法ができなくなってしまうことになる。

彼らは元来、「〜しなくては」という強迫観念で動いているため、急ごうとする。神経質にもなる。

だから気持ちに「遊び」「ゆとり」がない。

ちょっとしたブレイクを入れたら上手くいく、効率がよくなることがわかってい

ても、休まない。休む勇気がない。そうして、知らず知らずのうちに自分を追い込んでいく。

他人事（ひとごと）のように思うかもしれないが、みなさんも、おそらく、そういう一面がある。

「がんばらなきゃ！」の強迫観念で、自分も休めず、人をも休ませず、そして、自分も人もつらくする……そういう循環の中に迷い込んでいるのかもしれない。

がんばり過ぎてないかな？　そう感じたときは、今日からは、ちょっと休んでみよう。人も休ませてみよう。それができるようになれば、不思議と今まで見えなかった新しい価値観が見えてくる。

そして、それまでは負担だったことが、「そうでもないな」と思えるようになる。

この積み重ねが大人になるということではないか。

31◎「楽しいこと」なら、がんばり過ぎもＯＫ

自分を成長させたり、人に評価されたりするためには、苦しみや、つらいことを乗り越えることが必要だ、と思い込んでいる人もいるが、はたして、苦しんだ経験がなければ、人は幸せになれないのだろうか。

歯を食いしばって苦しみに耐えなくては、いい仕事もいい人間関係も築いていけないものなのだろうか。

そういう観点でも、自分を見直してほしい。

演歌歌手や小説家は「実際に苦労した経験がなければ表現できないこと」もある

だろうが、一般人は苦労はし過ぎないほうがいい。がんばり過ぎないほうが、幸せに見える。

安易な道を歩んだほうがいいというのではなく、人生には「大変だなあ」とか「がんばらなくては！」と悲壮感を漂わせる時間は少ないほうがいいという意味だ。

仮に二十歳(はたち)から六十年間、経済的にも恵まれず、発明の研究をしてきた人がいるとしよう。八十歳で大発明をして、富と名誉を手にした。しかし、翌年には老死。この発明家は幸せだったのだろうか。

それはわからない。苦労し、がんばり過ぎたとしたら、不幸だったろう。しかし、本当はこの六十年間のほうが、報われたあとの一年間よりも幸せだったのかもしれない。それは、傍(はた)から見ていれば「がんばり過ぎ」に思えることも、本人にはとても楽しい時間の場合がよくあるからだ。

みなさんには、ここを考えてほしい。

楽しいと思っていることは、どんどんやってもかまわない。健康を害さないこと

と、周囲に迷惑をかけないことに注意すれば、ちょっとやり過ぎてもいい。

けれども、楽しくもなく、やりがいもないことを「がんばらなきゃ」という思いだけで、がんばり過ぎるのはやめよう。

わずかなお金や成功、名声や評価のために、長い時間を苦労に費やしては人生は面白くない。がんばっているうちに情熱がわいてきて、日々楽しくなるようなことにエネルギーを使い、時間を使っていく。これが人生を楽しむコツだ。

がんばり過ぎかな？　そう感じたときは、こう考えよう。

「私にはほかにがんばりたいことはないのか？」と。

32◎先を行く人ほど、視野が狭くなっている

車の運転免許をとった人はご存じと思うが、人は早いスピードで走っていると、だんだん視野が狭くなってくる。

止まっていれば、顔も目も動かさずに百度以上の角度で見えていた前方が、スピードを上げるにしたがって、六十度、四十度……と、見える範囲が狭まってくるのだ。

高速道路で大きな事故が起きる原因には、スピードによる視野の狭さも大きなファクターとなっている。

早く走ると視野が狭くなる法則は、実は物理的なスピードだけではない。仕事や日常でも同じことがいえる。

例えば、恋愛がそうだ。

「あの人しかいない」と、一目ぼれしてしまったとしよう。

好きな気持ちがどんどん加速し、自分の気持ちが止まらない。本当はまだどんな人かもよく知らないのに、「ステキ！」と思う気持ちばかりが、先走り、周囲が見えなくなる。

いい部分、普通の部分、悪い部分を持った人間なのに、恋心がトップスピードになると、輝いている部分しか見えなくなってくる。

みなさんもきっと経験があるのではないか。

熱が冷めてみたら、「なんでこんな人と……」と思ったことが。

外見に引かれ、おつきあいしたものの、ふと気づいたら、ほかに何もない男だったり、「お金持ち！」と思って結婚したら、本当に面白みのない男だったり、打算

的で、計算高い女だったり……。

「木を見て森を見ず」ではないが、視野が狭かったばかりに、相手の全体像を見ていなかったということは、往々にしてある。

車の運転も、結婚も、一歩間違えると、人生が大きく変わってしまう。視野を広く保つためには、減速も必要なのだ。早く進みたい気持ちをグッと抑えて、冷静になるべきなのである。

仕事やお金の問題でも同じ。バブルの頃は、銀行はみな「がんばって」お金を貸した。がんばって、多くの貸付をした行員が評価された。

しかし、現実はみなさんがご存じのとおり、巨額の不良債権を抱えるようになり、国民の税金を使って再建するという、困った事態にまで陥った。

これも、貸付など、一部のことをがんばり過ぎて、世界経済を見る目の視野が狭くなっていたからであり、いつのまにか、日本経済はずっと右肩上がりのような錯覚をしてしまったからだろう。

視野を広げるためには、減速だけではなく、ときどき立ち止まったり、顔の向きや身体の向きまでも変えてみたりしたほうがいい。

お金の問題、仕事の問題も、人生を左右する大きなことなのだから。

33◎自分の「がんばり」が、周りの人の不満をつくる

人事異動や転勤、転職を経験した人はわかるだろうが、同じ業種であっても、会社が違えば雰囲気はまるで違う。同じ会社でも部署が変われば、別の会社かと思うほど仕事も違えば考え方も異なる。

同じ部署にいても、所属長か管理職が交代したり、同じ会社でも経営者が代わったりすればまったく状況が変わることもある。

すぐにその場の雰囲気や上司から要求されることを飲み込めればいいのだが、そういう器用さを持ち合わせていない人は状況の変化に対応できず、苦労する。

しかし、能力がない人だけが苦労するわけではない。能力があり、やる気があるばかりに、人間関係が悪くなったり、苦労したりすることもある。

メーカーに勤めるWさんは、大好きな商品開発の現場から離れ、商品管理部門に異動になった。左遷というわけではなく、将来を考えて、ほかの部署を経験させようという上層部の意向だった。

Wさんは開発をはずされて落胆したこともあるが、真面目で努力家だけあって、異動になる前から、商品管理の本を読んで勉強をし、意気込んで異動した。

最初は献身的に働き、面倒な仕事も笑顔でこなすWさんを同僚たちは快く受け入れてくれたのだが、しだいにあまり口をきいてくれなくなった。

連れ立って飲みにいくときも、Wさんには声がかからなくなった。その代わり、上司からの誘いは増えた。

真面目に働き、今まで誰も提案しなかったアイディアを出したWさんの働きによって、商品管理がスピーディーに、正確に行えるようになったからだ。

上司としてはこれはうれしい。だが、同僚たちはそう思わなかった。

「あいつばっかりいいカッコして」

「Wが、あんな提案するから、面倒な仕事をしなきゃいけなくなったじゃないか」

陰口は日に日にエスカレートしていった。

Wさんは孤立し、仕事もうまくいかなくなった。いじめられるわけではないが、協力してくれないのだ。

完全にチームワークがくずれ、ほかの同僚同士もなんだかギクシャクしてしまった。Wさんは、そこでまたがんばったが、いくらがんばっても成果が上がらなくなっていた。商品管理部全体が蟻地獄（ありじごく）でもがいているかのようになり、むしろWさんがくる前のほうが、まだましといえる状況になってしまったのだ。

人はがんばる人を応援するとは限らない。そのがんばりによって自分に火の粉がかかるようなら、そのがんばりは迷惑でしかない。

Wさんの大きな間違いは、同僚たちを巻き込んでシステムを変えていこうとしな

かったこと、そして急ぎすぎたことにある。

その結果、手柄を独り占めされた、自分たちの仕事を増やした、忙しくなった……と同僚たちの不満がつのり、仕事場の士気も下がってゆく。Wさんのがんばりが裏目に出てしまったのである。

こうならないために、がんばり過ぎない、急がないことが重要だ。自分だけががんばるのではなく、みんなも少しずつ努力するように持っていくことが大事なのだ。がんばる前に、まず相談すること。

「商品の管理システムを考えてみたんだけど、どうですかね。もっと効率的で、正確な方法があるかもしれないので、一緒に考えてくれません?」

と同僚たちに相談して、知恵を出させて、「みんなで考えました」という形で上司に進言すれば、みんなもWさんを恨んだりはできないものなのだ。

34◎詰め詰めのスケジュールを一本抜きなさい

スケジュール表を見ていて、空いた部分があると不安になるという人がいる。仕事のスケジュールなら、その人はワーカホリックといえる。システム手帳を手放せない人に多いように思う。

仕事でも遊びでも、とにかく予定がないと落ち着かない人は、「スケジュール依存症」といえるかもしれない。

予定を入れないと精神の安定が保てないとなったら、人間は冷静を失う。そうなると、ひとつひとつの細かなことはきっちりできても、全体的な大きい路線を間違

えてしまうことにもなろう。

国家や宗教団体が犯す過ちのなかには、リーダーやスタッフが優秀な頭脳を持っていてミクロの面ではずば抜けていながら、方向性を間違えたため、犯罪的になったり、崩壊したりしてしまうということがある。これは、欲に目がくらんでやり過ぎるからなのだ。

さて、みなさんの手帳を開いてみよう。

月曜から金曜まで、どんなスケジュールになっているだろうか。朝から夜遅くまで予定が入っているのではないか。

それなのに、さらに土日も外出の予定があり、何かトラブルがあったとき、余裕を持って対処できないようになってはいないか。

「遊びたい」という欲求。「恋人と会いたい」という願い。さまざまな要因はあるだろう。英会話や簿記の勉強もしたいという向上心もあるに違いない。

しかし、なんでも一遍にやろうとしてはいけない。

詰めすぎたスケジュールはいつか破綻する。身体を壊したり、イライラがたまったり、上手く物事が回らなくなったり。

そうならないためには、自分で大丈夫と思う予定から、一本だけでも、予定を抜くことが重要だ。

疲れたら休める時間、トラブルがあったら回避できる余裕を持ち、急で大事な用事が入っても融通がきくスケジュールを組むことで、生活は格段に楽しくなる。人は、あれもこれも、上手くできるわけはない。できるだけシンプルな時間の使い方をして、柔軟にスケジュールを変えられるようにしておいたほうがいい。スケジュール表が文字で埋まっているから、エライなどと思うほうがおかしいのである。

できることなら、「水曜日の夜は予定を入れない」など、「予定を入れない予定」を最初からつくった上で、余裕あるスケジューリングをしたいものだ。

それからもうひとつ。携帯電話も手帳と同様、「依存しない」ように気をつけてほしい。

スケジュールが空いていると落ち着かないように、メールや電話がないと落ち着かないようでは将来が不安になってくる。

手帳も携帯電話も持たない休日を、ときどきでいいから過ごしてみてはどうか。

第4章　前向きな人は、失敗から学ぶ

35◎過去は変わらない、未来はわからない

過ぎてしまったことについては、「ああすればよかった」「こうすればよかった」といくら悩んでも、その結果は変わらない。

大事なのは、すんでしまったことより、「これから」のほうだ。

「あんな失敗をしたから、私なんかもうダメだ」と思い込んでしまうか、「この失敗を明日に活かそう」と前向きに考えられるか。

失敗から学ぶことは大切だが、学んだ結果、「もう私には無理だ」「とり返しのつかないことをしてしまった」と、ただひたすら意気消沈して、後ろ向きになってし

まうのは、「失敗から学ぶ」こととは少し違う。失敗してしまった自分の過去を分析して、「どうすれば失敗しないか」を考え、次に活かすことが失敗から学ぶということだろう。

そのためには、「前回は確かに失敗してしまったけれど、次回は上手くいくだろう」という、いい意味での楽観的な考え方や姿勢も必要だろう。

「明日はなんとかなるさ」という言い方は、いい加減なように聞こえるかもしれないが、実際のところ、誰にも「未来はわからない」のである。

わからないからこそ、もう一度トライしてみる価値がある。上手くいかなかったことでも、次は上手くいくかもしれない。今までは悪いことばかりだったから、未来はいいことばかりかもしれない。

人間、誰でも失敗すれば落ち込むし、上手くいかないことが続けば、「どうせ私なんか」と後ろ向きに考えてしまいがちだ。ふと気がつくと、いつのまにか「変わらない過去」にばかり、こだわっている。

気持ちが「後ろ向き」になりそうなときにこそ、あえて「未来はわからない」「きっと明日は上手くいく」と明るく、前向きに考えていきたい。

もうひとつ、「人生、出たとこ勝負」ということもいっておきたい。どんなに綿密に考え、どんなに先まで人生設計をしようと、計算どおりの人生などありえない。その場になって、何をどう判断するか……にかかっている。その判断が、「いつも前向き」ということが大切なのだ。

36◎つらいときは、自分をほめてほめてほめつくせ

落ち込んだり、過去のことをクヨクヨ悩んだりすることが絶対にいけない、といいたいのではない。年がら年中、明るく、元気で、前向きに、という人はそうそういない。誰でもひとつやふたつの、悩みごとはあるし、こだわってしまう過去を持っているものだ。

要は、いつでも明るく、元気であることが無理であるように、いつも眉間（みけん）にシワを寄せて、暗く悩んでいるような状態も身体（からだ）によろしくない、ということだ。そういう「悩み多き生き方」の人は、いつのまにか本当に「悩み多き人生」になっている。

その人自身も、そのことがわかっていて、「あー、私ったら、またクヨクヨと悩んでいる。こんなふうにいつまでも落ち込んでいるから私ってダメなんだ……」と、落ち込んでいる自分を省みて、また落ち込むのだからキリがない。

そういう人は「落ち込んでいてはいけない」「クヨクヨと悩んだらダメ」と無理に自分を諌める（いさ）のではなく、「まあ、たまには落ち込むのもいいじゃない」という逆転の発想をしてみてはいかがか。

つまり、「今はたまたま、そういう難しいことやイヤなことが起こって、落ち込んでしまう時期なんだ」と割り切るのがよい。

梅雨時（つゆどき）に長雨が続いているようなもので、今はその雨がやみそうにないけれども、やまない雨はない。いつか雨は上がる。雨が上がったあとは、今の曇り空がきれいな青空になり、晴れ渡るだろう……と。

あるいは、今の落ち込んでいる状態は、跳躍する前の屈（かが）んだ状態と考えてもよい。

高く跳ぶためには、膝（ひざ）や腰を曲げて身体を屈めて、その反動を使ってジャンプしなくてはならない。今の落ち込みは、そのあとに成長していくための準備段階として必要なものだ、と考えてみる。

深く屈めば屈むほど高く跳躍できる。落ち込んだ気分が深刻であればあるほど、その反動で明日はより高く、前向きに生きられるはず……と。

「ダメな自分」と決めつけてはいけない。落ち込んでしまうのは前向きに生きようとしている反動であり、実際に人生を懸命に生きているからこその悩みであろう。

そう考えれば、落ち込んでいる自分も「けなげな自分」とほめることができる。

むしろ、悩んでいたり、落ち込んでいるときこそ、

「こんなに落ち込んでいたりするのに、ちゃんと仕事をやって……私ってエライなあ」

「自分が悩んでいるにもかかわらず、他人に気を使ってあげられる私がステキ」

と自分をほめて、励ましてみてはどうか。

37◎最初の一歩は、いつ踏み出すのですか

引っ込み思案で、自分から積極的に行動するのが苦手という性格の人は、頭のなかでは前向きに考えてはいても、なかなか行動に移せないものだ。

例えば、今の自分を変えたい、変わらなくてはと思っても、いざ新しいことを始めようとなると、二の足を踏んでしまう、という人。

カッコいい先輩を見習って、自分もアフター5や休日にスポーツや英会話などの習い事を始めたいが、どうも続けていく自信がない。もし、途中でくじけてしまったら、ますます「自分はダメだなあ」と落ち込んでしまいそうだ……。

実際、こういう人は少なくない。人がやっているのを見ると、「カッコいい」「ステキ」と憧れるが、それを自分に置き換えてみると、「あんなふうにできる自信がない」「時間がない」「経済的に余裕がない」などと、マイナスの要因を数え上げてしまい、踏ん切りがつかない。

人がやっているのを見ているのと、実際に自分がやってみるのとでは、よくも悪くも、違うものだ。簡単そうに見えたのに、自分がやってみると困難だったり、その反対の場合もあったりする。時間的、経済的に難しいと思っていたのが、いざ始めてみると、そのおかげでメリハリのある時間の使い方ができるようになったり、ムダ遣いが減ったりすることもあるだろう。

なんでも自分でやってみないとわからない、ということだ。逆にいえば、やってみれば、おのずとその答えが出る。だから、「やろうか、それともやめておこうか」と考えて、ムダな時間を費やしているくらいならば、とにかく始めてみなさいよ、なのだ。

それで、もし「自分に合わない」「思ったよりも楽しくない」「時間的、経済的、体力的に厳しい」と思ったら、そのときにやめてしまえばいいことだ。やめるのも、始めるときと同様、その人の自由である。

「イヤになったら、いつでもやめられる」、そのくらいの軽い気持ちでいたほうが、なんでも最初の一歩が踏み出しやすい。まず、一歩、足を前に出してみる。時と場合によっては、考えるのはそのあとでもいい。

38◎「いつでもやめてやる」が、続ける原動力になる

「いつでもやめてやる」という、一見ネガティブな気持ちが、物事を続ける心の支えになることがある。

その人（仮にAさんとしておこう）は、自分が勤めている会社に、ずっと不満を持っていた。仕事内容がきつい割りに給料が安い。同業他社とくらべても、有給休暇やその他の待遇もよくない。しょせん二流の会社、いつやめても惜しくない、と思ったそうだ。

かといって、今の状態で会社をやめるのも尻尾（しっぽ）を巻いて逃げ出すようで癪（しゃく）だし、

自分がやめると、同じようにきつい仕事に耐えている同僚たちの、ノルマが増えるのが目に見えているので、申し訳ない。

そこで、Aさんは今の仕事がちゃんと一段落したら、堂々と辞表を叩(たた)きつけてやると、心のなかで誓った。それからのAさんは、少しくらい上司から理不尽なことをいわれても腹が立たなくなったし、取引業者や後輩のミスにも寛容になった。「どうせ自分は近い将来、この会社からいなくなるのだから、つらいのは今のうちだけ」という思いが、ストレスを和らげていたのだろう。

ところが、現実には「仕事がちゃんと一段落する時期」というのはなかなかやってこない。ひとつの仕事が終わる前に、次から次へと新しい仕事が入ってくる。「これじゃ、キリがない。だから、この会社はイヤなんだ」と胸のなかでボヤキながらも、Aさんは「できるだけ早くやめてやる」ために、テキパキと仕事をこなしていった。

Aさんはその会社で異例の早さで昇進を果たした。しかも、上司や後輩、取引業

者たちがこぞって、「これからもよろしく」とその出世を祝ってくれたのである。

辞表を叩きつけたときの課長の困った顔を思い浮かべてはひとりほくそえんで、つらい仕事に耐えてきたAさんだったが、その課長から満面の笑みでこれまでのがんばりを讃(たた)えられたときは、さすがに複雑な気分になったという。それでも、自分が評価され、ほめられてうれしくないわけはない。

結局、Aさんはその後もその会社で仕事を続けている。あい変わらず仕事は大変で、待遇も飛び抜けてよくなったわけではないが、実績がついたことで多少のわがままはいえるようになった。なにより、自分のことをちゃんと認めてくれる人たちが周りにいてくれることが、Aさんのような性格の人にとっては、大きいようだ。

39◎ニセモノの「前向きな人」は、すぐ「ふりだし」に戻る

Aさんの場合は、「いつでもやめられる」という心のゆとりが上手く作用して、前向きに生きることにつながった。ただし、「いつでもやめられる」からといって、ちょっとイヤなことがあったり、「自分が想像していたのと違っていた」というだけで、すぐにやめてしまうのは、上手くない。

ひとつのことを始めてはすぐにやめて、また違うことを始める人は、一見、次々と新しいものにチャレンジしていて、前向きに生きているように見える。

しかし、ただイヤになったから、自分に合わなかったからという「フィーリン

グ」でやめたり始めたりしているだけなので、数はいろいろとこなしている割りには、本人には何も身についていない。ひとつのことをやめるたびに、また「ふりだし」に戻っているのだから、形は「前向き」でも実際には少しも前に進んでいないのである。

そのうち「始めてはすぐにやめる」がクセになって、何をしても長続きしない人間になってしまうのが怖い。仕事や習い事だけでなく、恋愛などの人間関係でも、そういう「飽きっぽい人」はいるものだ。

こういう人は、自分でも気づかないうちに、相手の長所や自分にとってプラスになる面を見いだすより、相手の欠点や自分に合わない部分を見つけていく「減点法」の思考に陥っている傾向が強く、そこでマイナス・ポイントが見つかると、「やっぱり私には無理」と見切りをつけてしまう。自分からわざわざマイナス面を探しているのだから、たいていのもの（人）がアウトになってしまうのも当然だ。

仕事にしても、人間関係にしても、ちょっと手をつけただけ、つきあってみただ

けでは、その本質まではわからない。たとえマイナス面が見えたとしても、「そのマイナスを上回るプラスがあるかもしれない」と、一回は我慢してみてはどうか。それでも、やはり「自分には合わない」「確かにプラスもあるけれどもマイナス面が許せない」というのであれば、そのときになって決断すればよいこと。

いっときの感情で即断するのでなく、もう一回「粘れる人」は、自分のフィーリングを越えた総合的な見方で物事や人を判断できるようになる。たとえ、そのときの仕事や人間関係が失敗に終わったとしても、

「仕事にはいろんな人の思惑が絡み合っているから、思いどおりには進まない面もある」

「人と人とは、好きなだけでは上手くいかないこともある」

などと新しい発見があるのではないか。それこそが「失敗から学んだ経験」であり、その経験が自分を前向きな人間へと成長させる糧(かて)となる。

40◎「とりあえず」という軽い気持ちで始めよう

物事や人物について評価や判断をするとき、「この人は嫌い」「これはよくない」と見た目や第一印象で決めつけてしまう人に限って、何かをやろうという段になっても、「でも、あそこが今イチ気に入らないし……」などとグズグズいって煮え切らない。

むしろ、見た目や最初の印象で決めつけない人、つまり評価や判断が慎重な人のほうが、テキパキと前向きに行動できる。

なぜなら、その根底には「仕事でもなんでも、自分でやってみないとわからな

い」「人はつきあってみないとわからない」という考えがあるからだ。それが「やってみないとわからないのならば、とりあえずやってみよう」「とりあえずつきあってみよう」という思い切りのよさに通じてゆく。

「とりあえず」という柔軟な姿勢だから、仮にその仕事や人が自分に合わなかったとしても、「まあ、こんなこともあるさ」「結局は縁がなかったんだ」と納得して、あとに引きずることも少ない。

一方、最初の印象で、「この会社はいい！」「この人が好き！」と、即思い込んでしまった人は、相手の悪い面や気にくわない面が見えたときに大きなショックを受ける。せっかく勇気を出して、一歩踏み出したけれども、

「あんな会社に憧れていた私がバカだった……」

「いい人だと思ったのに、すっかりダマされた」

などと恨みを抱いたり、落ち込んだりしてしまう結果に終わることも多い。

「とりあえず」という言い方は、いかにも妥協しているようで、あまりいい響きで

はないかもしれない。いつでもなんでも「とりあえず」では、自分の本当にやりたいことを見失い、「人生の本命」を逃(のが)してしまう恐れもある。

最終的には「とりあえず」ではなく、「絶対にこれをやる」「この人と一緒にいたい」という強い意志も必要だろうが、「何をやりたいのかわからない」と迷っているときには、「とりあえず」くらいの軽い気持ちで活動したほうがいいように思う。

実際に、「とりあえず、やってみよう」と始めた仕事や趣味が、生涯続けていくほど大切なものになったという人は少なくない。あなたの周りにも、最初はそれほど好きではなく、なんとなくつきあい始めた人が、結果的には夫や親友として、かけがえのないパートナーになったという人がいるのでは？

41◎隣は隣、自分の芝生を育てよう

「人間がほかの動物とくらべて違うのは……」という話はいろいろと語られるが、まさに「ほかとくらべる」というのも、人間独特の性質のひとつだろう。

自分の仕事やプライベートの環境を、つい友人のそれとくらべてしまう。会社に行けば行ったで、同僚や男性社員との待遇の違いが気になる。

「B子は一流会社の総合職でカッコよく働いていて、給料もたくさんもらっているのに、私なんか誰も名前も知らないような会社で給料も雀(すずめ)の涙(なみだ)。B子にステキな彼氏ができて、私には全然できないのも当然か……」

「CさんやDさんは毎日、定時で帰っているのに、どうして私だけこんなに残業させられなきゃいけないの……」

ある程度は、周りのことが気になるのは仕方のないことだろう。ただ、他人と自分を比較した結果、「どうせ私なんか……」と落ち込んだり、「どうして私だけが……」と不平や不満を募らせたりしてしまうのでは、精神衛生上よろしくない。

こちらから見ればうらやましくなるような環境にいる人でも、その人にはその人なりの苦労や悩みがある。

仕事も恋も充実しているように見えるB子さんだって、仕事のプレッシャーでかなりストレスがたまっているかもしれないし、その忙しさのせいで彼氏との仲も上手くいっていないという悩みを抱いているかもしれない。

毎日、定時で帰っているCさん、Dさんにしたところで、上司から評価されて、どんどん仕事をさせてもらっているあなたを、逆にうらやましく思っているかもしれない。

そういうわけだから、多少は周りの人が自分より恵まれているように見えても、「隣の芝生は青く見えるものよ」というくらいの余裕で受けとめたい。

どうせ人とくらべてしまうのなら、

「Eさんは最近、がんばっているわね。私も負けないようにがんばろう」

「Fにステキな彼氏ができたんだったら、私にもきっとできるはず」

などと、自分の発奮材料にしたほうがよろしい。

隣の芝生を気にしているうちに、自分の芝生が枯れてしまうのでは、なんとバカバカしいことだろう。自分の芝生を大切に育てている人は、他人の芝生にまで気が回らないものだ。つい他人を気にしがちな人は、「他人は他人、自分は自分」と言い聞かせて、いかに自分の芝生をいきいきと育てるかにエネルギーを傾けてほしい。

42◎歩みはのろくても、「着々一歩」を重ねよう

「自分は自分」と思っていても、まだ自分の生き方やスタイルが確立されていない若いうちは、周りの動向や意見に惑わされてしまうときがある。

仲のよかった友人が先に結婚すると聞けば、祝福したい気持ちと同時に、なんとなく自分がとり残されてゆくような寂しさも感じるのではないか。

そこで親やほかの友人から「あんたもいい加減、落ち着きなさい」「次は○○の番ね」などといわれようものなら、口では「私は私のペースでやるから」と応(こた)えながらも、内心では「私もそろそろ考えないと……」という焦りも生じてくる。

仕事の面においても、二十代〜三十代はなにかと動きが多い時期なので、急に飛躍したり、思わぬ方向へ転職したりして、同年代の人から刺激を受けることは多い。だから、「自分もがんばらなきゃ」という焦りと、「自分はマイペースでいいんだ」という気持ちの狭間で揺れ動いてしまう。

ところが、このマイペースというのが、実は難しい。

人は「マイペースでやればいい」と簡単にアドバイスするけれども、まず「自分のペース」というのはわかりにくい。自分では「マイペース」のつもりでも、ふと気づいたら乱れていることもよくある。とくに、これまでは比較的のんびりとやってきた人が、「このままじゃいけない」などと焦りを感じ始めると、このワナに落ちる。

「そろそろ私も変わらなきゃ」「これまではムダに過ごしていたから、もっと有意義に時間を使わないと」と意識が高まることはけっこうだが、急なペースアップが自分を苦しめることになる。

それまでゆったりと歩いていた人が急に走り出すようなもので、足元はおぼつかなくなるし、息も切れ切れになる。焦る気持ちに身体のほうがついていかずに、やがてまいってしまう。そして挫折、自信喪失へとつながってゆく。身体がついていかずに、元のスピードに戻ってしまうならば、まだよい。足がもつれてバッタリと倒れてしまったら、加速がついていたぶん、ダメージも大きい。いったん倒れてしまったら、ふたたび立ち上がって、歩き出すには相当なエネルギーが必要になる。

若いときほど心得ていなければならないことは、飛躍的に伸びようとするのではなく、着実に前へ進んでいこうとすること。ほかの人からはのろのろしたペースに見えたとしても、一歩一歩を大切に歩んでいくほうが、最終的には前へ進んだ距離は伸びている。

急いでいるときは、視線が先へ先へと向いてしまい、足元がおろそかになりがちだ。若いときほど、自分の足元をしっかりと確かめる必要もある。

自分の足元とは、親や兄弟、友人など周りで支えてくれている人たちや、これま

で自分が大切にしてきた仕事や趣味の世界のことだ。

ふだんから自分のことを見てくれている人ならば、自分では気づかないペースの乱れを指摘してくれるだろう。万が一、倒れそうになったときでも、そういう人たちがそばにいてくれると、また支えになってくれるはずだ。

なにより「自分にはこんな大切な人たちがいるから大丈夫」「もし、上手くいかなくても、私には仕事や趣味がある」という安心感が、心に芽生えた焦りを緩和し、本来のペースをとり戻させてくれるのだ。

43◎悩んだぶんだけ、「知らないうち」に成長している

恋愛で悩んでいる若い女の人に、「とにかく前向きに考えるようにしなさい」といったら、「やっぱり今の彼氏と別れたほうがいいですか？」と問い返されたことがある。

その女性は、私がいった「前向きに考える」という意味を、

「つらい思いをさせられることの多い今の恋人と別れて、新しい人を見つけること」

と、とらえたようだ。

一方、同じ言葉を「彼とは別れないほうがいい」という、まったく逆のアドバイスに受け取った女性もいた。おそらく、その人は、「多少のつらいことや不満があったとしても、彼氏のプラスの面も見るようにして、上手くつきあっていけるように考えなさい」

というふうに解釈したのだろう。

私には、それぞれの女性の細かい事情まではわからないし、恋愛カウンセラーでもない。今の彼氏と別れたほうがいいだの、別れないほうがいいだの、具体的なアドバイスなど、恐れ多くてできるはずもない。

「前向きに考えなさい」というのは別の意味でいったのだ。

今いったように、私にはどうしたらいいのか答えることはできないし、おそらくほかの誰にしても、せいぜいアドバイスとして「私はこう思う」「こうしたほうがいいんじゃないの」ということくらいしかいえないだろう。結局は自分で答えを出さなければいけない問題なのだ。

ただ、自分がどういう答えを出したとしても、その答えを出した自分に対して前向きにとらえなさい、ということがいいたかっただけである。

それは出した答えについて、決して後悔するな、というのとも少し違う。

もし、仮に彼氏と別れる道を選んだとしても、

「結局、別れてしまうのなら、あんな人とつきあうんじゃなかった」

「実らない恋をして、一番いい時期をムダにしてしまった」

などと、今までの恋愛そのものまで否定しないでほしいということだ。

確かに、最終的にはつらい思いやイヤな思いをして、終わってしまった恋かもしれない。けれども、少なくともつきあい始めの頃には、楽しい経験や幸せな思いを味わったはずだ。つきあっている過程においては、相手に腹が立ってケンカもしたかもしれないが、そこで学んだこともあるだろう。

そのような経験は、これからさらに成長していく自分にとって、決してムダなことではない。恋をすると、理性や常識を越えて、自分の気持ちの核の部分までつき

つめて考えさせられることも多い。それは「自分の本質」と向き合うことでもある。恋愛というのは貴重で、身にしみる経験をたくさん積むことができるものだ。そのような経験を積むことができた自分を、「以前よりも成長したかな」と思ってもらいたいのである。

彼氏と別れずに、もう少しがんばってみようという結論を出した場合も同じだ。そう答えを出したからといって、今までと同じようにただ苦しんだり、つらい気持ちを我慢したりするのではなく、それほどまでに悩んだ経験を少しでも活かしてほしい。

「昨日までの自分とはちょっと違う。これからは彼氏とも新しい自分で接していく」

というくらいの心持ちで、堂々としていればいいではないか。

もちろん、またつらい思いに押しつぶされそうになったり、悩まざるをえない状況になったりしないともいえない。

そのときはそのときで、また悩めばよい。今回じっくり悩んでいるだけに、二度目のときはまた違った発想が生まれるかもしれない。

何度くじけそうになっても、後悔したり、悩んだりを繰り返しても、「そのたびに自分は成長している」と信じて、また前を向いて歩いてゆく。

それが「前向きに生きる」ということのように思う。

44◎恋愛や結婚には、「失敗」も「成功」もない

恋愛の場合はとくに、「別れ」という結末が衝撃的なだけに、上手くいかなかった場合は「失敗だった」という思いがついて回る。

しかし、それならば結婚までたどりつかなかった恋愛はすべて失敗ということになるのか。たとえ、晴れて結ばれて結婚に至ったとしても、そのあとに別れてしまう場合もある……というより、今やそんなカップルは珍しくもない。それでは、どこまでふたりの仲が続けば、その恋愛が「成功」ということになるのだろうか？

そもそも、結婚を目的に恋愛するというのでは本末転倒のように思う。

結婚を「ゴールインした」などというせいで、そんなふうに勘違いされるのかもしれないが、結婚が愛し合うふたりにとってのゴールと考えるのではなく、むしろ、結婚という社会的にも認知された関係になってはじめて生まれてくる絆（きずな）を感じてほしいものだ。

離婚を経験した人が「一度結婚に失敗して……」という言い方もおかしい。

これではまるで結婚生活を続けること自体が目的のように聞こえてしまう。恋愛が結婚までの試用期間ではないように、結婚もただそれを続けることに意義があるのではない。

恋愛や結婚に限らず、人と人との関係は出会いと別れの間の、ほんの短い狭間（はざま）によって成り立っている。

数ある人のなかで、縁があってこその出会いであり、その貴重な出会いもいつかは別れという終焉（しゅうえん）を迎えることになる。どんなに仲むつまじく暮らしてきた夫婦でもどちらかの死という形で別れを迎えざるをえないし、かといってともに死を同じ

くするのが理想の夫婦というわけでもなかろう。

出会いが奇跡的なもので、別れが宿命的であればこそ、お互いにつきあっていられる今を大切にしたい。そのような人間関係において、失敗とか成功とか、軽々しく断定できるはずがないのだ。

だから、ひとつの恋愛が終わりを迎え、好きな相手と別れることになっても、それを「失敗」などと考えてはならない。

別れはとても悲しく、せつない。そのつらさを断ち切るために相手のことを憎んだり、自分を許せなくなったりすることがあるかもしれない。けれども、そんなつらい時期も、これからも続いていく長い人生から見ればいっときのことである。

ひとつの恋愛の終わり、人との別れを「失敗だった」と切り捨ててしまうのではなく、その間に味わった充実した時間をありがたく思える人になりたい。そんな人には、間違いなくまたステキな出会いが待っている。

45◎いまだ開始早々、逆転のチャンスを大切に

人と人との別れだけでなく、自分では失敗だったと思うようなことでも、世の中にはムダなことなど何ひとつない、と私は思っている。たとえそれが、途中で挫折してしまったことや、後悔してやまないようなことでも、だ。

むしろ、後悔しているほどあなたの心にこたえたことなら、その失敗から身にしみて学んだことは大きい。もう二度と同じ過ちを犯すことはないだろう。

とくに若いうちは、長いスパンで物事を考えることが難しく、ひとつの失敗を実際以上に深刻にとらえがちだ。そのせいで「もう、これで私はダメだ」などと致命

的な失敗だと思い込んでしまうこともあるだろうが、絶対にとり返しのつかないような失敗など、そうそうありえない。もし、それが本当に失敗だったならば、文字どおり、あなたの命はそこで終わっている。

こんな譬え話がいいのかどうかわからないが、私の知人に無類の競馬ファンがいる。いや、ファンというよりギャンブラーというぐらい競馬にのめり込んでいるが、好きと上手は別物のようで、彼が競馬で大儲けをしたという威勢のいい話は聞いたことがない。私が「下手の横好きもギャンブルとなると出費がかさむな」などとからかうと、そのたびに彼は、「オレはまだギャンブルに負けていない」といい張る。

彼いわく、自分と競馬の勝負はもう何十年も続いており、これからもまだまだずっと続くだろう。だから、現時点での勝ち負けでは確かに自分のほうがやられているが、とり返す可能性がないわけではない。勝負の決着がつくのは、自分が死んだときだ。

彼の理屈でいうと、まだ自分は生きているから、自分は負けていないのだ……と。「生きているギャンブラーはすべて負けていないギャンブラ

ー」ということになる。よくぞここまで屁理屈をこねられるものだが、その精神については見習うべきものがあるのではないか。

「負け犬」「負け組」などといわれているが、生きているうちは、誰もがまだ敗者ではない。今はこちらの雲行きが悪く、点差をつけられているが、まだギブアップしたわけではない。勝負の行方はこれからだ……と。

私くらいの歳の人間でも、「人生、まだまだこれから」と思っている人は多い。人生の半分も生きていない若い人にしてみれば、「これから」どころか「始まったばかり」ではないか。野球でいえば、まだ二回の表裏が終わったあたり、サッカーでいえば前半開始十分にも満たない。逆転のチャンスはいくらでも残されている。

46◎前向きな人は、失敗を将来に活かす

野球とサッカーの譬えを続けるなら、今までの失敗とは、たかだか相手に先制ホームランを打たれた、先制ゴールを許したくらいのことである。

そこでガックリきてエースがやる気を失ったら試合にならない。前半開始早々に得点されたからといって、選手全員を引き上げさせる監督はいないだろう。

忘れてはならないのは、先はまだまだ長い、ということである。

先に私は、どんな失敗だろうと人生においてムダなことなど何ひとつない、といった。それは「前向きに生きていこう」という姿勢があってこそ、ムダにはならな

いのである。

前向きに生きてさえいれば、今の失敗も、あとで「あんなこともあったなあ」と笑って思い出せる日が必ず来る。それどころか、将来、

「あの失敗があったおかげで、今の自分がある。いや、自分だけでなく、今そばにこんな人たちがいてくれるのも、あの失敗のおかげ」

「あの失敗を経験することなく、何も考えずに生きていたらどんな人間になっていたかと思うと、われながらゾッとする」

と思えるくらいになっている。

もちろん、失敗の傷が癒えていない今の時点で、そこまで考えるのは難しいだろう。ただ、あなたの両親やおじいさん、おばあさん、目標とする先生も……誰もが多かれ少なかれ、似たような経験をしてきている。後悔や挫折の苦しみを乗り越えて、鍛えられた人ほど、そのタフさを表に見せない優しさを備えて、くったくのない笑顔を見せてくれるものだ。

さて、これからまだまだ長く続くあなたの人生。

失敗も挫折も後悔もなく、ただだらだらと平穏無事に過ぎていくのがよいのか。

ときには涙するほど苦しい思いを味わうことがあっても、それをはるかに凌駕（りょうが）する達成感や喜びにひたることのできる人生がよいのか。

後者のほうが「生きている」という実感が得られるのは確かだ。あなたの両親、おじいさん、おばあさん、目標とする先生も、おそらく、この後者の生き方をしてきた人で、だからその笑顔を見ると、あなたはホッと安心できる。「失敗あり」の人生も決して悪くはない。

問題は、失敗をどう咀嚼（そしゃく）し、どう消化してゆくか。失敗を栄養にできるか否か。

これからの人生がどうなるかは、若い日の失敗を前向きに考えられるかどうかにかかっている。

第5章 「自分を好きな自分」をつくる

47 ◎「自分を好きになる」が、幸せへの最低条件

自分とはまったく関係のない人を、衝動的に殺してしまうような悲惨な事件が相次いで起こっている。そんな異常な犯罪に駆られてしまった犯人たちについての報道を見ているうちに、ある共通点に気がついた。

その共通点とは、彼らは「自分が嫌い」ということだ。

自分が嫌い、そして、そんな自分をつくった親や周りの人を憎んでいる。

「自分嫌い」な人が幸せであろうはずもなく、幸せそうにしているほかの人すべてに対して腹が立ってしょうがないのだろう。金銭目当てでも、個人的な怨恨でもな

く、人を殺してしまうほどの負のエネルギーは、自分も含めた世間全体を破壊してしまいたいという衝動から生まれたものなのであろう。

自分を好きになる、自分の生き方に納得している……これが、人として幸せに生きるための最低条件だと思う。自分を好きではない人は、他人を真剣に愛することはできないし、人に愛されているという実感も持てない。

いい換えれば、「幸せになろう」と努力することは、「自分を好きになろう」としていることと同じことかもしれない。実際、自分の夢や幸せに向かって努力している人は、「そんな自分が好きだから」「そんな自分でありたいから」という思いがその根底にある。

「この人と一緒にいれば、自分のことがもっと好きになる。だから、この人とずっと一緒にいたい」

「夢を実現することができれば、そんな自分を誇らしくて、よりいっそう好きになるだろう。だから、夢に向かって努力する」

「誰かに優しくすると、自分がいい人間に思えて、気持ちがよくなる。だから、人には優しくしてあげたい」

……などなど。自分が好きだから幸せになりたいと思うのか、幸せになりたいから自分を好きであろうとするのか、そのどちらでもかまわないが、要は、ほかのことならともかく、幸せになろう、イコール、自分を好きになろう、というための努力は惜しんではならないということだ。

なぜなら、その努力だけは、いくら時間と労力をかけようとも、自分自身が相手だけに、決して裏切られることもムダになることもないのだから。

48◎「自分が可愛い」と「自分が好き」は、こんなに違う

自分を好きになりなさいといっても、「自分の好きなようにふるまいなさい」といっているわけではない。

「自分を好きな人」は、自己中心的でわがままな人とは違う。他人の迷惑を考えず、好き勝手にやっている人は、「自分が好き」というより「自分が可愛い」だけである。

自己中心的で、自分の利益しか考えられない人は、わがままを押し通さないと損してしまう……そういう不安があるのだろう。すぐに手を伸ばさないと好きなお菓

子がなくなってしまう、と考えている子どもと変わらない。

あるいは、わがままにふるまうことで、皆の注目を浴びたい、自分にかまってもらいたいのかもしれない。これも、子どもと同じ心理だ。

いずれにしても、「自分を守りたい」「人から好かれたい」という子どもっぽさは見えても、「自分が好き」という「自立した大人の明るさ」は感じられない。

「自分が可愛い」のではなく、「自分が好き」という人は、ガツガツと自己主張することも少ない。気持ちに余裕があるから、他人を蹴落(けお)としてまで、「オレが」「私が」と主張する必要もないからである。

そんなふうに「お先にどうぞ」という感じで周囲を見守っていると、なかに「はい、これはあなたのぶん」「○○さんはどうしたい？」などと気をきかせてくれる人がひとりくらいいるものだ。その気遣いに感謝して、

「自分の周りにはいい人ばかりだなあ。やっぱり自分は恵まれている」

と、ますます自分のことが好きになるのではないか。

「自分のことは自分で守らなければ」と瞳をギラつかせ、肩肘張っている人は、いつのまにか周りに敵をつくってしまう。これに対して、「自分の周りはいい人ばかりだ」と悠然とかまえている人に限って、周りの人たちがちゃんとその人のことを守ってくれる。

自分が可愛い、自分を守りたいという思いが過ぎると、そのつもりはなくても他人を傷つけてしまうこともある。ところが「自分が好き」というおおらかさがあれば、そのくったくのなさに引かれて、人が集まってくる。「自分が可愛い」のか「自分が好き」なのか、その差は紙一重かもしれないが、結果は正反対になる。

49◎人を喜ばせる「自己満足」なら、大いにすべし

ボランティアや奉仕活動にいそしんでいる人を見て、「よくもまあ、自分のことを犠牲にして他人のためにそこまでできるものだ」と感心する人もいるだろうが、ちょっと角度を変えて見ると、彼らほど「自分が好き」な人はいないと思う。

ボランティア精神の発端は、「困っている人を助けてあげたい」「見て見ぬ振りはできない」という、ある意味、誰もが持ち合わせている慈悲の気持ちだろう。けれども、もしそれだけならば、たまたま困っている人の役に立てれば、それで満足できる。

「いえいえ、困っている人を助けるのは人として当然のこと、礼には及びません。

では、私は先を急ぐのでこれにて失礼」……とまあ、こんな感じか。

それを自分のライフワークのように続けるためには、もっと大きな動機づけが必要である。その動機づけになっているのは、ある人にとっては、

「人のために働くことはこんなに気持ちいいことか。今までの仕事では得られなかったようなやりがいを感じる」

「自分ではたいしたことをやったつもりはないのに、相手はこんなにも感謝してくれた。ここまで人に感謝されるようなことがあっただろうか……」

という充実感かもしれないし、

「世の中にはまだまだ助けを必要としている人がいる。こんな私でも役に立てるのであれば、やってやろうではないか」

という使命感かもしれない。いずれにしても、その人にとって、ボランティアや奉仕活動は「人のため」以上に、「自分のため」にやっているという一面もある。

「自分がしてあげたことで人が喜んでくれた」

「人が感謝してくれることに、やりがいを感じる」

「人の役に立っている自分が誇らしく思える」

とりようによっては、これらはすべて「自己満足」の世界である。先に触れたように、たいていの人が「ときどき」「たまたま」誰かの役に立てたことで満足してしまうのに対して、彼らはそれだけで満足せず、ライフワークにまでしてしまうのだから、なんとも大いなる自己満足だ。

だが、自己満足でなにが悪い、と私は思う。人がなんといおうと、「こんな私が好き」という自己満足を得られた人のほうが幸せなのだから。

しかも、彼らの自己満足は、それだけで完結していない。少なくとも彼らの活動によって恩恵を受けている人たちには、ちゃんとその思いが届いている。

自分が好きになるための「自己満足」なら、けっこうなことだ。それがほかの人を巻き込んでの自己満足なら、さらに満足度も広がり、なおけっこうなことではないか。

50◎「人のため」が「自分のため」に変わる喜びを

ボランティア、奉仕活動に従事している人は、「人のため」というより、むしろ「自分のため」にやっているといった。一方、利己的で、わがままな人も、「自分のため」に生きている。

このふたつの「自分のため」、決定的な違いはどこにあるのだろうか？

その前に、ひとつの例として「ちょっといい話」を紹介する。

妻に先立たれ、都内の住宅街でひとり暮らしをしているおじいさんがいた。もと

もとはそれほど偏屈な人ではなかったのだが、妻を亡くしてひとりになってからというもの、「近所の子どもがうるさい」「大事な盆栽が倒されていたが、それも子どものしわざだろう」などとなにかと難癖をつけては、近隣から煙たがられる存在になっていた。

あるとき、そのおじいさんの家へ、町のボランティア活動をやっているという青年が訪ねてきた。その青年の用件とは、「最近、この地域でも子どもを狙った犯罪の未遂事件が増えてきているので、地元の有志を募って夜間の防犯パトロールを始めた。ただ、一番危険な子どもの登下校の時間帯は、仕事をしている人も多いのでなかなか難しい。だから、朝夕の十五分でいいから、おじいさんに家の前まで出てもらって、子どもたちの登下校を見守ってほしい」という依頼だった。

なるほど、家の前の道は、小学校への通学路になっている。ふだんから子どもたちのことを快く思っていないおじいさんは、「面倒くさい」「そんな暇はない」と断ろうとしたが、「まあ、盆栽に水をやる時間を少しずらしてもらえるだけでいいん

です」といわれ、結局は押し切られる形になってしまったのである。

しぶしぶながらも、翌日から子どもたちの登下校の時間に合わせて盆栽の手入れを始めるのが、新しい日課となった。

当初、「まったくうるさいガキどもだ」などと苦々しい思いで、子どもたちの様子を見るとはなしに見ていたが、ある日、ひとりの少女が家の前で転んで泣き出してしまった。仕方なくおじいさんはその子を家に招き入れ、応急処置を施してやった。

次の日、その少女がおじいさんの家の前に通りかかったとき、「昨日はどうもありがとう」と声をかけてきた。それ以来、その子はおじいさんと会うと「おはよう」「こんにちは」とあいさつするようになり、少女につられるようにほかの子どもたちも、おじいさんにあいさつするようになってきた。

しばらくして、以前のボランティア青年がふたたび家にやってきて、「今回の活動が地元の警察から認められて表彰されることになった。ついては、おじいさんも

協力者の一員として、一緒に表彰式へ参加しませんか」という。おじいさんはびっくりした。

おじいさんにしてみれば、協力者の一員もなにも、そちらが無理に頼むからイヤイヤながらやっていただけである。表彰なんてとんでもない、と思っていたが、青年から「ここのおじいさんだけは朝夕、一日も欠かすことなく、毎日子どもたちを見守ってくれていた。子どもたちのほうから、ここのおじいさんはよくしてくれているという報告を受けている」という話を聞くに及んで、胸が熱くなったそうだ。

いうまでもなく、おじいさんはそれからも毎日、朝と夕方、子どもたちの登下校を見守っている。今ではおじいさんも子どもたちとあいさつを交わしたり、学校であった話などを聞かせてもらったりすることを楽しみにしているという。

さて、ここからは私の想像になるが、奥さんを亡くしてからのおじいさんは、心のよりどころをなくして、ひとりぼっちで生きている気分になっていたのだろう。

そのようなすさんだ気持ちでいるときは、他人は自分にとって邪魔で、うるさい存在でしかない。

けれども、実際にはそんな他人も自分を幸せな気分にしてくれることもあるし、自分も他人を喜ばせることができる。このおじいさんは、はからずも地域ボランティアに参加したおかげで、子どもたちからそのことを気づかせてもらったのに違いない。

51◎人の幸せを「自分の幸せ」にして生きる

今の話は、私が実際にある人から聞いた実話をもとにした話である（話を簡潔にするために少々、脚色した部分はあるが）。

この話には後日談があって、おじいさんの参加している防犯パトロール隊は、警察から表彰されたこともあって、それ以降、多くの地域住民が参加してくれるようになったという。会員の構成もおじいさんのような年配の人から、主婦や若い学生まで幅広い。

その人たちがボランティアに参加しようと思った動機もさまざまで、

「ダイエットしようとこれまでに何度もジョギングをしようとしたけど、ひとりだと結局続かなくて。これならば、仲間もいるから自然と続けられるし、実際にダイエットの効果も上がっている。まさに一石二鳥よ」

という主婦もいる。なかには、

「草野球の仲間が始めたことなので、最初は義務的にやっていたが、やっているうちに楽しくなってきた」

と、はじめはボランティアをやろうという意思がまったくなかったのに、のめり込んでしまったという人も少なくない。

私はそれでいいのだと思う。ボランティアだろうが、金儲け（かねもう）けだろうが、結局は「自分が楽しいから」「自分の得になるから」という「自分のため」だと思うことが、続けるためのエネルギーになるのである。

さて、このあたりで最初の質問に立ち返ろう。

ボランティアなど、人の役に立ちながら「自分のため」と思える人と、他人を蹴

落としてまで「自分のため」を追求する利己的な人の、「自分のため」はどこが違うのか。

ここまで読んでくださったみなさんにはもうおわかりだろう。

「人から喜んでもらえるから自分もうれしい」

「人の役に立つことが自分のやりがい、生きがいになる」

という「自分のため」は、他人の幸せや喜びを介在として満足感を得ている。

「喜びも幸せも、ともに分かち合う人がいるほど、大きくなる」というように、その満足感に限度はない。

逆に、利己的な「自分のため」は、

「他人より裕福であれば気持ちいい」

「人より幸せであることが幸せ」

という、他人との比較において得られる満足感でしかない。

そんな相対的な満足感など、より多くの人と幸せを増幅し合える絶対的な満足感

とくらべたら、なんとちっぽけなことか。

より大きな満足や幸せをめざす人のほうが人生において貪欲（どんよく）であるとすれば、人の幸せを自分の幸せにできる人ほど、貪欲な人はいないということだ。

52◎「人がやるから自分もやる」では、自分嫌いになる

誰でも小さい頃、親や先生から「人がたくさんいるところでは大声で騒いではいけない」とか「食べるものを粗末にしてはいけない」など、いろいろと注意されたと思う。

それらは大人としてはあたりまえの〝常識〟だが、まだ社会性が養われていない小さい子どもには、それがわからない。「どうして?」と「なぜやってはいけないのか」の理由を聞きたがる子どももいる。

そこで、「ここはみんなが静かにお話を聞くところだから、大声で騒いだら、そ

のお話を聞くのに邪魔になるでしょう？　○○ちゃんだって、自分がテレビを見ているときに隣で大声で話をされたら、イヤな気分になるでしょ。自分がイヤだと思うことは、人にもやっちゃいけないの」などと、子どもでもわかるようにちゃんと大人が説明してくれたら、その子は社会性を養っていける。

「〜してはいけない」と叱りつけることがしつけではなく、「なぜそれがいけないか」をちゃんと理解させてやることが、しつけであろう。

まあ、本来ならば私などがいうまでもない、しつけの基本なのだろうが、最近ではその基本さえまったくわかっていない親や先生も増えている。

わが知人が、電車のなかで騒いでいる子どもを見かけたときの話だ。その子は周りの客が顔をしかめるくらいの騒ぎっぷりだったが、目の前にいる母親らしき女性はまるで知らん顔。たまりかねた知人が一言注意しようとしたとき、その雰囲気を察知したのか、ようやく母親が「ダメよ。静かにしていなさい」と声をかけた。

子どもが口をとがらせて「どうして？」と聞いたとき、その母親は、なんと「あ

の怖いオジサンが見てるでしょ。あのオジサンに怒られたくないなら、大人しくしていなさい」とのたまったという。

おそらく、「そんな話は今どき珍しくない」のであろう。

「～をすると誰々に怒られるから」

「周りに人が見ているから」

「誰もそんなことをしていないから」

という理屈を平気でいってのける親や教師がたくさんいるという。

そんな親や教師にしつけ(にすらなっていないが)られた子どもは、大人になってからも、それがしみついてしまっている恐れがある。

誰かに怒られるから、これはしない。

人が見ていなければ、なんでもやっていい。

誰かがやっているから、私もやる、誰もやらないから、私もやらない……。

そんな考え方をしている人は、「自分を好きになる」ことはとうてい難しいだろ

う。なぜなら、その思考回路のなかには、自分というものがまるでないからだ。ただ周囲の動向や意向を気にして、それに流されるように行動しているのでは、子どもと一緒である。自立心のない「子ども大人」には、「自分を好きになる」という意味すらわからないのではないか。

自分のすべてが大好き、という人はほとんどいない。顔やスタイル、性格や環境に至るまで、どこかしら不満を持っている。いや、不満だらけという人のほうが多いかもしれない。

それでも自分が好き、と思えるためには、嫌いな部分さえも「これも自分の一部だ」と受け入れるだけの包容力が必要だ。不満な部分をなんとか改善していこうという向上心が必要になる。

なにより、好きな部分も嫌いな部分もすべて引っくるめて「これが自分なのだ」と、一個の独立した個性として認めるだけの自立心が必要なのである。

53◎「美しいもの」が、「自分の芯(しん)」をつくる

男性でも女性でも、外から見て「この人はカッコいい」「ちゃんと自立した大人だなあ」と思わせる人、いわば「自分をちゃんと持っている人」というのは、誰がどういおうと、人からどう思われようと揺らぐことのない信念のようなものを持っている。

その信念とは、「人にどう思われたって気にしない。自分の好きにやるだけだ」というものだ。自己中心的な人の考え方と似ているようで、実は全然違う。利己的な人の「自分のやりたいこと」の基準は、自分の欲望や利益でしかない。

それに対して、自分をちゃんと持っている人の信念は、損得勘定を抜きにした、その人なりの「美学」が基準になっているように思う。

「美学」などというと、時代錯誤な、古めかしい言い方に聞こえるかもしれない。今風にいい換えると「生き方のセンス」ということになるのだろうが、別のニュアンスで伝わってしまうかもしれないので、ここではあえて美学という言葉を使いたい。

美学とはわかりやすくいうと、「どんなものを美しいと感じるか」「どういうことがステキだ、カッコいいと思えるか」ということだ。

自分なりの美学を持っている人というのは、「自分がステキだと思うから、これが好き」「これはカッコいいと思うから自分はする」という基準がしっかりしている。人からの評価によって行動や意見が左右されることはない。

裏を返せば、自分の美学に反することは、たとえそれが自分にとって楽だったり、利益になることだったりしても、決してやらない。

例えば、「食べるものを粗末にすることは美しくない」と思えば、人が見ていようといまいと、それはやらない。「自分がつらいときでも人に八つ当たりするのはカッコ悪い」と考えれば、相手が誰であろうが、そうしないように努力する。「これはカッコ悪いことだから、しない」「これをしている自分は美しくないから、やらない」という考え方は、「誰かに怒られるから、しない」「人がやっているから自分もやる」という考え方の、まさに対極だろう。そういう美学を大事にしている人なら、「『人がやるから自分もやる』という考え方はカッコ悪いから、自分はしない」のである。

さて、あなたは、どんなものを美しいと感じるだろうか。どんなことをカッコいいと思うだろうか。

これをつきつめていくことは、自分なりの美学や信念を確立していくことであり、ちょっとやそっとのことでは揺らいだりしない自立した自分をつくるために必要なことだ。

54◎自分なりの「カッコいい」を実践しよう

たとえそれが楽なやり方であったり、自分の利益につながったりすることであっても「自分がカッコ悪いと思うことはしない」と、自らの美学をかたくなに守ろうとするのは、それに反すると自分が好きでなくなるからだ。

ほかでもない自分がカッコ悪いと思うことをやってしまっている、そんな自分を好きに思えるはずがない。自分が美しいと思えることをやっている自分が好き、と思うのは自然な感覚であろう。

逆にいえば、「今、自分のことをあまり好きだとは思えない」という人は、おそ

らく自分が美しい、カッコいいと思うことをできていないのではないか。もしくは、自分が美しくない、カッコ悪いと思うことをやらざるをえない状況になっているのではないか。

もちろん、すべての人が自分のやりたいことをやっているわけではない。仕事にしても、恋愛にしても、今やっていることが自分にとってベストの環境ではないという人もいる。いろいろな事情があって、不本意ながらやっていることもあると思う。

しかし、たとえ「一番やりたかったこと」「一番好きな相手」ではなかったとしても、続けているうちにそれがベストに変わっていく可能性はある。不本意ながらやっていることでも、「今の自分の状況では仕方ない」と考えて、我慢もできよう。そういう状況とは違って、自分が美しいと思えないことをやっている人、カッコ悪いと思いながらやっている人は、いつまでたってもそれに「慣れる」ことはできない。

この美学にかかわる感覚というのは、いっときの好き嫌いの感情より深い、自分の核の部分に根ざしたものだからだ。そういう感覚はごまかしようもなく、慣れるどころか時間がたてばたつほど、違和感は大きくなってくるだろう。

もし、「今の自分は好きになれない」「本当の自分とは違うような気がする」という人は、現在の自分がやっていることをひとつひとつ、改めて確認してみてはどうか。

「これだけは私のやりたくなかったことだったんだ」

「ああ、このせいで、毎日がつらかったんだ」

と気づくことで、逆に「自分の本当にやりたいこと」が見つかる可能性もあるのではないだろうか。

55◎「憧(あこが)れの人」が、自分を鍛える

自分にとって憧れの人、尊敬する人が周りにいれば、自分の美学を確立していくための参考になる。

「その人みたいになりたい」と思うから、その人の考え方や行動の仕方を学び、見習うようになるだろう。おそらく、その憧れの人、尊敬する人にも、自分が「このようになりたい」とめざした「師匠」がいて、その師匠から多くを学んできたのに違いない。

こうして受け継がれてきたやり方には、それだけ説得力もあるし、時代を超えて

通用する強さもある。だからこそ、そのような美学を持っている人は、一本芯が通ったような強さを感じさせるのであろう。

もし、自分の周りには手本となるような憧れの人も、尊敬できる人もいない、という人は、スポーツ選手などの有名人、歴史上の偉人でもよかろう。もっといえば、小説や映画の主人公といった実在しない人物でもかまわない。要は、「この生き方に共感できる」「こういう人になれたらカッコいい」と思わせてくれる人をモデルにしてもよい。

最初は、そんな人物をマネするところから入ってみる。しかし、簡単なことではないだろう。「ちょっと自分には無理かな……」とくじけそうになるときもあるはずだ。

しかし、そこをなんとかふんばることができれば、いつしかその人のマネではなく、自分のものとして本物となる。つまり、くじけてしまいそうなところを耐えること自体が、自分を鍛える過程になっているわけだ。

また、「自分がどういうことを美しいと感じるか」「カッコいいと思うか」という美学を確立するには、できるだけ多くの「美しいもの」や「カッコいいもの」に触れる必要がある。あちらこちらで美味しい料理を食べ歩かないと、何が本物か料理のよしあしが判断できないのと同じである。

そのためには当然、多くの人の意見を聞いたり、いろいろなものを見たりして、見聞を広めなければならない。そうしているうちに自分の人生をかけてもいいほど素晴らしいものや、自分と同じ価値観を持つ人と出会えるのだ。

自分なりの美学を探す「旅」は、自分をつくっていく旅でもあり、自分の生きがいを探す旅にも通じる。

56◎子どもの頃の「マイナスの記憶」に縛られるな

「一流選手ほどよく練習する」とは、よく聞かされる話だ。

よく練習するから一流になれたのだろうが、そういう選手はスターとして自分の地位が不動のものになってからも、練習に手を抜くことはない。

「本当に練習が必要な選手ほど練習しないのだから」というコーチの嘆きはもっともだが、それはスポーツ選手に限ったことではなかろう。

勉強にしても、頭のいい人ほどよく勉強して、それほどでもない人は勉強しない傾向にあるのではないか。もともと頭のよい人がさらに勉強して、そうでない人が

勉強しないのだから、ますます差がついてしまう。

頭がよくて勉強ができる人は、「勉強ができてエライね」と先生や親たちからほめられるから、もっとほめられようとさらにがんばろうとする。

反対に勉強ができない人は「お前は頭が悪いから……」といわれて、ますます勉強する気をなくしてしまう……ということも影響しているのに違いない。

子どもの頃に、親や先生など大人からいわれ続けたことが思い込みとなって、大きくなってからもずっと尾を引くことは少なくない。

「子どもの頃から私は頭のできがよくないから……」

「どうせ私はそんなに器量がよくないから……」

けれどもそれは、本人が子どもの頃の経験からそのように思い込んでいるだけかもしれない。そもそも小・中学校の勉強くらいで「頭のでき」など測れるはずはないし、人の容姿などは歳（とし）とともに変わってゆくものだ。

なにより、実社会に役立つ勉強も、自分をきれいに見せるための努力も、大人に

なってから本格的に始めるものだろう。「私は頭が悪いから……」「美人じゃないし……」とあきらめてしまうのは間違った選択である。

とくに女性の場合、外見（見た目）が内面（気持ち）に大きな影響を与えるものだから、おしゃれに気を使うことは大切なことだ。

見た目が美しくなると自信もつくし、積極的に行動できるなど、それだけでずいぶん自分が変わるのではないか。「今の自分があまり好きではない」という人ほど、内面だけでなく外見にも磨きをかけてほしい。

57◎「できるわけがない」という思い込みが、自分を閉じ込める

「自分のことが好きではない」という人に共通するのは、自分に対する期待値が低いということだ。期待値が低いというより、自分の可能性を信じていないというべきか。

「どうせ私なんか、何をやっても上手くいかない」

「そんな大変なこと、絶対に私にできるわけがない」

「こうしてみれば」「あれをやってみれば」と人から何かを提案されても、「どうせ私なんか……」「できるわけがない」というネガティブな言葉ばかりが口をついて

しまう人。

しかし、「できるわけがない」という思い込みで、可能性をつぶしてしまっているのは自分自身である。

ほかのすべての人が「できるわけがない」と思っていたとしても、自分だけは「できる」と信じていれば、できるかもしれない。だが、ほかの人すべてが「できる」と思っていても、自分は「できるわけがない」と思い込んでしまったら、どんな簡単なことでも絶対にできないのである。

こういう人は「自分を好きになろう」という以前に、まず自分の思い込みをなくすことを考えなくてはならない。そのためには、まず簡単なことでいいから、何かひとつやり遂げてみることだ。

最初は自分の得意分野、それを続けるのが苦にならないものを選べばよい。運動が得意な人ならば運動系のものを、音楽が好きな人なら音楽系を、手先が器用な人はそれを活かせる趣味などだ。

いきなりベテランの人たちのなかにひとりだけ入っていくのは気が引けるし、「みんな上手だなあ、それにくらべて私は……」と、つい弱気が頭をもたげてしまうこともあるので、できれば誰か一緒に始めてくれる人がいるとありがたい。仲間がいることで、お互いにレベルの上達度合いをはかりやすいし、くじけそうになったときにも励まし合える、というメリットもある。

何かひとつでも好きな趣味ができたり、上達するものがあったりすれば、「私にもできる」という思いが芽生えるだろう。「自分が好き」ランキングでも確実にポイントアップする。

それを続けていくうちにもっと好きになってさらに上達したり、そのひとつがきっかけとなってほかのことに興味がわくようになったら、もう大丈夫だ。自分を縛りつけていた「どうせ私なんか、できるわけがない」という思い込みは、すでに払拭されている。

58◎自分をほめれば、自分が伸びる

　思い込みが自分を縛りつけているといったが、「できるわけがない」と思い込んでいる人は、自分で自分に「お前はできない」という「呪い」をかけているようなものだ。

　自分で自分に呪いをかける、そんなバカバカしい話はないだろう。どうせ自分にかけるのであれば、呪いではなく「祝い」の思い込みにしたいではないか。

「やればきっとできる」

「あなたは自分が思っているよりずっと魅力的な人間」

「あなたのことを好きな人が大勢いる」

……などなど、なんでもいいから、自分を励ますことを口にしてみる。

はじめはそう言葉にしても簡単には信じられないだろうが、できれば、鏡に向かって呪文（じゅもん）のように唱え続けるうちに、なんとなくそういう気分になってくる。

そして、実際に「やればできる」「あなたは魅力的な人間」ということがあれば、「よくがんばったわね」とほめてあげよう。これも鏡に向かって、だ。

ほめられる子は自信をつけて、伸びてゆく。けなされてばかりいる子は自信のない、覇気のない子に育つという。励まされ、ほめられて伸びてゆくのは大人も同じ、自分自身に対しても同じ効果があるのだ。

自分で励まし、ほめて、そのとおり成長している自分のことを、あなたはどう感じるだろう？　胸を張って「好き」といえるのではないか。

自分を純粋に好きだと思える人は、他人のことも本気で好きになることができる。

そして、人を本気で好きになることのできる人は、それだけで人からも真剣に
「愛される資格」があるということだ。

第6章 「幸運な人」は、その準備ができている

59◎いいとき悪いとき、いちいち一喜一憂するべからず

自分のことを考えるにあたって、とくに注意すべきところは、次のこと。

今の時点だけを見て、

「ああ、私はなんてツキがないんだろう。きっと、運に見放されているのに違いない」

などと悲観的になってはならないということ。

ずっと運が向いている人がいないように、ずっと運に見放されている人など、いない。これからどんどん変わってゆくのだから、「今の自分」をすべてと思っては

ならない。とくに若い人には、そういいたい。

誰でも、いいときと悪いときがある。いいときをできるだけ長く維持し、悪いときをさっさとやりすごすということが大切ではないか。ふだんの生活のなかでも、幸運を呼ぶ考え方、運を逃さない行動の仕方があるように思える。

人の好・不調の波やバイオリズムについて、人気女子プロゴルファー横峯さくらさんの父である良郎氏が面白いことをいっていた。

「人のバイオリズムには三という数字が大きくかかわっているような気がする。一年のうちに絶好調の三ヵ月があれば、逆に絶不調の三ヵ月がある。もっと大きなスパンでいえば、三年、三十年で好・不調の波は変わってくる」

……以上のような内容だったと思うが、良郎氏はこのバイオリズムを「三・三・三の法則」と呼んでいるらしい。

いかにも独自の教育信念で娘をプロゴルファーに育て上げた良郎氏らしい、ユニークな発想である。しかし、もっとも印象的なのはそのあとだ。

「だから、私はさくらの調子がすごくいいときでも、たまたま『絶好調の三』に入っているんだな、と思って冷めた目で見ている。逆に絶不調のときも、これも長く続くわけではないという見方をしているんです」

どんなに調子がいいときでも、それを「実力が上がった」とうぬぼれたり、過信したりしてはいけない。逆に調子が悪いときにも、必要以上に落ち込んだり、悩んだりすることはない、と良郎氏はいいたいのであろう。

三という数字の信憑性(しんぴょうせい)はともかく、この姿勢は私たちも見習うべきではないか。

調子がいいときは、「私はなんでもできる」とうぬぼれて、それまでの周りの人の協力や支えを忘れがちだ。しかし、そんな調子のいいときがずっと続くとは限らない。いざ調子が落ちて、周囲に手助けを求めようとしても周りに人がいない場合もある。

反対に、調子が悪いときに結果が出ないからといって「やっぱり私はダメだ」とあきらめてしまったら、それまでだ。

調子のいいときも悪いときも、一喜一憂せずに、自分がやるべきことを淡々とやる。長い目で見た場合、結局それが目標へ到達するためには一番の近道なのだろう。

「人間、いいときも悪いときもある。だから一喜一憂するべからず」という教訓には、なんともいえない説得力がある。

裏を返せば、「悪い時期が過ぎれば、なんとかなるさ」という明るさもある。

60◎「占い」をプラスにする人、マイナスにする人

運・不運の波は誰にでもあるが、幸運を呼び込むことが上手な人もいれば、自ら運やツキを手放してしまう人もいる。

例えば、血液型がO型のAさんとBさんが、同じ雑誌の占いページを見たとしよう。その雑誌にはO型の「今月の運勢」として、次のように載っていた。

「恋愛運は上昇気味なので、新しい出会いのチャンス。思わぬことがきっかけで、これまで意識しなかった人と仲が深まる可能性も。ただし、全体の運勢としてはよくないので、遠出やお金を使うイベントは控えたほうが無難」

Aさんはこれを見て、「そうか、今月は新しい出会いのチャンスなんだ」とわくわくした気持ちで出勤した。

すると会社でチームの編成があり、それまでお互いに顔は知っていながら、あまり話をする機会のなかったC君と同じチームになった。

Aさんは「占いはこのことをいっていたのかもしれない」と思い、積極的にC君に話しかけてみたところ、反応もよい。この出会いがどこまで発展するかはともかく、しばらくは会社に行くのが楽しくなりそうだ、とAさんは占いに感謝した。

一方、Bさんのほうは、「全体の運勢としてはよくないので、遠出やお金を使うイベントは控えたほうが」という一行が頭に残っていた。

その夜、友人から「会社の別荘を安く使えるからみんなで行くんだけど、あなたもこない?」という電話があったが、占いのことが頭をよぎって、「行きたいけれども、今回はパスしておくわ」と断ってしまう。そして、「あーあ、こういうときに限って、遠出がダメだなんて」とため息をつくBさん……。

さて、AさんとBさんの決定的な違いがおわかりだろうか？

Aさんは占いのなかでも自分にとっていい部分だけを覚えていて、それに後押しされるように積極的に行動した。逆に悪いところが気になって、そのせいで自分の意思に反する行動をとってしまったのがBさんだ。

つまり、Aさんが占いをプラスの動機づけとして活用したのに対し、Bさんはマイナスの動機づけとして受けとめてしまったわけだ。

「占いのおかげで、これから会社に行くのが楽しくなりそう」と思っているAさん。

「占いのせいで、せっかくの旅行を断ってしまった」とため息をついているBさん。

同じ占いを見ても、どちらが運を呼び寄せているか、答えは明らかだろう。

61◎「私はツイている」と思っている人には、幸運がくる

Bさんが占いに反して旅行に出かけたとして、そこでなんらかのアクシデントに巻き込まれた可能性もないわけではない。その場合は、占いを無視したせいで、アクシデントにあった、ともいえるかもしれない。

しかし、そのときBさんは「やっぱり占いを信じればよかった」と後悔すると同時に、「今度からは占いに書いてあるとおりに、注意して行動しよう」と考え、今後は「占いでダメということ」は一切控えるようになり、ますます自分の行動を狭めてゆく。

逆に、「今月、新しい出会いのチャンスがある」という部分しか覚えていなかったAさんは、占いがはずれてさして新しい出会いなどなかったときに、「あのインチキ占いめ」と怒るだろうか。

Aさんにしてみれば、そんな占いがはずれたからといって、どうということもあるまい。占いのこと自体、忘れている可能性だってある。実際に、自分が「あっ、これは新しい出会いかも」と感じたときになって、「そういえば占いで出会いのチャンスがあるといっていた」とあとから思い出すくらいではないか。

雑誌やテレビの占いなどは、その程度のものと考えていればよい。

Aさんのように「そうか、今月の私はツイてるんだ」と楽しい気持ちになれるならば、プラスの活用法である。Bさんのように、自分の行動が制限されたり、不安な気持ちになったりしてしまうのであれば、マイナスの活用法といえる。

実際、「私は今日はツイてるんだ」と思っている人には、なにかしらいいことがめぐってくる。なぜなら、そんな気持ちでいるから、ふだんは見過ごしてしまうよ

うな小さなことも、見逃すことはないからだ。

または、Aさんがチーム編成の際に「イヤな人と同じチームになったらどうしよう……」というネガティブな発想ではなく、「これがきっかけでいい人と知り合いになれるかもしれない」と思ったように、何事に対してもポジティブな発想で受けとめることもできる。ポジティブに考える心の準備ができていたのである。

占いのおかげで楽しい思いをした人は、次に占いで「今日の運勢はよい」という言葉を見つけたら、「今度もまた……」という気分になるだろう。このような繰り返しで、「私はツイている人間だ」と思えれば、それに越したことはない。Bさんのように「悪いことが書いてありませんように」とビクビクしながら占いを見るのとは雲泥(うんでい)の差となろう。

占いを見るときは、プラスになる部分だけを覚えて、マイナスについては適当に聞き流す、というくらいでいいのではないか。それが、「ポジティブ思考」につながる。

62◎「ゲンかつぎ」も、実力を発揮するための儀式

自分にとって都合のよいことだけを信じて、悪いことは適当に聞き流すというのは、なんだかズルイように思う人もいるだろうが、これは大勢の人がやっていることでもあるのだ。例えば、スポーツ選手など、勝負の世界で生きている人たち。力の差が接近しているプロの世界ともなると、勝敗の行方はふだんの努力や実力差だけで決まるものでもなく、それこそ運やツキに左右されてしまう。おのずと選手たちは、運やツキを呼び込もうと、さまざまな工夫を凝らすことになる。

そのひとつが「ゲンかつぎ」だ。

ただし、「〇〇をすると、負ける」というジンクスはゲンかつぎにはならない。「シューズを左足から履くと勝つ」「右足からグランドに入るといいプレーができる」などと、「〇〇すれば、上手くいく」というプラスのことだけを大事にする。

もちろん、このようなゲンかつぎには科学的な根拠はないから、実際にそのとおりにしても負けることもあるし、上手くいかないときもある。そこで負けが続いたり、調子を落としたりしているときには「ゲンなおし」といって、わざといつもと逆のやり方をしてみたり、競技場へ行くのにも遠回りのルートを通ったりする選手もいる。

けれども、ほとんどの選手は、いくら負けがこんでも、そのやり方を変えようとはしない。なぜなら、もともとは「ゲンかつぎ」だった行動が、しだいに試合に臨むための「儀式」のようなものになってしまっているからだ。

試合で最高のプレーを発揮するためには、平常心で臨むのが一番だ。緊張しすぎてもよくないし、集中力が鈍っていてもいけない。「シューズは左足から履く」な

どのゲンかつぎは、その精神統一を行うための一連の作業のなかに組み込まれているのである。

左足からシューズを履き、右足からグランドに入るという、いつもと同じ手順をすませた選手たちは、「よし、今日もつつがなく準備ができている」という安心感とともに、これから試合に臨むという気持ちを高めさせている。

彼らのやっている「ゲンかつぎ」は、確かに占いとは別物かもしれないが、運を呼び込み、思いどおりの結果を出すためにはどのような心構え、準備が必要かということを教えてくれている。そういう目で見れば、また別の楽しみも生まれるだろう。

63◎「勝負服」は、いざという場面でこそ威力が出る

スポーツ選手におけるゲンかつぎ、儀式のようなことは、みなさんも知らず知らずのうちにやっていると思う。例えば、大事な人と会ったり、パーティに出席したりするので、きっちり自分をアピールしたいというとき。いつもより念入りにメイクを決めて、着ていく服も一番お気に入りのものを選ぶだろう。

それは外見を飾って、より魅力的に見せたいという気持ちからだろうが、実際にはメイクをしているとき、服を着つけているときから「さあ、今日は頑張るわよ」と気合いが高まっているはずだ。そして、「今日の自分は完璧(かんぺき)な恰好(かっこう)だから、どな

たでもいらっしゃい」と度胸がすわる（？）のではないか。

逆に、今ひとつ髪形が決まらない、着ていく服がどれも気に入らないというときは、気持ちのノリも今ひとつで、心にも不安が生じる。そういう気分では、せっかく「ステキな人」と出会っても、アピールしきれないのではないだろうか。

女性にとって、デートやパーティの前におしゃれをすることは、スポーツ選手が試合に臨むにあたって準備するのと似たような心理効果があるように思う。

そういうわけだから、いざ「大一番」を迎える状況になってから「どうしよう。着ていく服がない」などとあわてないように、「ここぞという場面ではこの服を着ていく」という「勝負服」をあらかじめ用意しておくことだ。

それは「この服を着ていたときには、なぜかいいことがある」という、まさにゲンのいい服でもよいし、自分がもっとも気に入っている服でもよい。要は、「今日の私はバッチリいけてる」と自信がつくようなファッションが「勝負服」になる。

昔、大橋巨泉さんが競馬の予想をしている頃、「これを着ていけば、絶対に勝つ」

というスーツを持っていたそうだ。

だからといって、それを「勝利をもたらす魔法のスーツ」のように思って、「今日も当たりますように」と毎回、競馬場に着ていったわけではない。

大橋さんのなかで「絶対にこれはとれる」という自信のあるレースのときしかそのスーツは着なかった。だからこそ「絶対に負けないスーツ」であり続けていたわけだが、その微妙な心理がおわかりだろうか。

勝つ自信はあるけれども、何が起こるかわからない。いざ勝負という段になって、「本当にこの馬で大丈夫だろうか」という不安な気持ちが頭をもたげてくることもある。

そのときに、「いや、今日はこのスーツを着ているんだから、間違いない」と自分を後押ししてくれるものとして、「負けないスーツ」を着ていたのだろう。それくらい、そのスーツを大事にしていたからこそ、せっかくのゲンが落ちないように、それほど思い込みのないレースでは着ていかなかったのである。

デートやパーティのときの「勝負服」もまた同じ。のべつまくなしに「勝負服」を着ていったら、その効果もしだいに薄れてくる。なにより、着ている自分が「これで今日はバッチリ」という気分を持てなくなるだろう。

伝家の宝刀よろしく、「今回だけははずせない」という場面が訪れたときに、満を持して「勝負服」をとり出すのがよい。自分に勇気と安心感を与えるアイテムとしては効果的だ。

64◎表情の「いきいき」が、運も人も引き寄せる

手相占いは有名だが、人相占いというものがあるのもご存じだろうか。手相占いが手のひらを見て人の運勢や性格を占うように、人相占いは顔を見てその人を占うものだ。

顔は人の身体（からだ）のなかでも最初に目につく部分であり、その造作やバランスについては占い師でなくても、あれがよい、あそこが残念などといいたがるものだけに、逆に手相などよりも昔から広く語り継がれてきた伝統があるのだろう。

細かい部分の講釈は専門書を見てもらうことにして、私などの素人が見ても、

「この人は今、充実しているな」

「この人はなにかしら悩みがあるらしい」

というくらいのことはわかるものだ。

心身ともに健康な人は、やはり肌の血色がよく、瞳(ひとみ)はキラキラと輝いている。歳(とし)や疲れの影響もあるから、肌ツヤやシワまではいちがいにはいえないが、

「今、自分は一生懸命に生きている」

という充実感を持っている人は、どんなに歳をとろうが仕事で疲れていようが、目と表情だけはいきいきと見えるのである。

恋をすると女性は美しくなるといわれるが、それも同じことだろう。恋をしている喜びや充実感が瞳を輝かせ、頬(ほお)を紅潮させ、表情にまで表れてくる。そのような表情の変化を見て、同性も異性も「美しくなった」と感じる。

瞳が輝き、肌の血色のいい顔は、それだけで人を引きつける。そういう表情からかもし出される雰囲気がフェロモンのように異性を呼び寄せるのかもしれない。

恋や仕事が充実していて、瞳や肌がいきいきとしている人は、よりいっそう異性にモテて、仕事もプライベートも上手くいかない人は、そんな「ヒト・フェロモン」の恩恵に与る（あずか）こともなく、ますます落ち込んでいく。

……というと、かなり不公平な話に聞こえるが、あなたの周りを見渡してみても、現実はそれに近いのではないか。

「私が好きになるのは、仕事はできるけれど、彼女や奥さんのいる人ばかり……」

「彼氏を欲しがっているA子には誰も寄ってこないのに、ちゃんと彼氏のいるB子のほうがだんぜんモテている……」

など、思い当たるフシがあると思う。

その原因のひとつに表情の差があるとしたら、これを活用しない手はない。毎日、鏡を見るときに、化粧のノリだけでなく、自分の表情もチェックしてみる。

「生気を失ったような、張りのない顔をしていないか」

「瞳が魅力的な笑顔になっているか」

「つい、疲れたような、だらけた顔になっていないか」

自分で自分が魅力的に見えるかどうか、鏡に向かって笑ってみることを習慣づけるのも「幸運を呼び込むための習慣」なのである。

65◎笑顔は、「幸せ育て」の小さな種

笑顔を絶やさない人は、ただそれだけで幸運を招いている。「笑う門には福来たる」だ。

もし、あなたがコンパやパーティに誰かを誘おうとするとき、ふだんから無表情で、無愛想な印象を与える人と、いつも笑顔の人当たりのいい人のどちらを選ぶだろうか。

もちろん、一見、無愛想な人でも、つきあってみると気がきいて、感じのいい人もいる。その人柄をよく知っている仲間うちだけの会であれば関係ないかもしれな

いが、初対面の人たちと会う席ともなると、やはり笑顔が自然に出てくる、人当たりのいい人のほうを選ぶのではないか。

仕事や用事を頼むときも、同様だ。いつも笑顔の人は、「いいですよ」と快く引き受けてくれそうで、頼みやすい。

「人から仕事や用事をいいつけられやすい印象なんて、損じゃないか」と思う人は、まだ運を招くということがわかっていない人だ。

自分の頼みを聞いてくれた相手に対しては、「そのお返しに、何かしてあげよう」と思うのが人情というもの。「わらしべ長者」ではないけれども、小さな頼み事を聞いてあげたことがきっかけで、結果的には大きな得を手に入れることはよくある。

なにより、「あの人はいつも笑顔で頼まれてくれる」と人物評価が上がることが大きい。そういう人には、ますます人の輪が広がり、仕事にしても恋愛にしても、さまざまなチャンスが訪れるだろう。

つまり、笑顔という小さな種が、幸福という大きな実を結ぶ。そういう小さな幸

運の種を大事にする人が、幸運を呼び寄せる資質を持っている。

「そんなことをいわれても、おかしくもないのにいちいち笑えない」

「人に好かれるために愛想笑いするなんて、自分の性分に合わない」

などと思っている人は、長い目で見ると、やはり「損をする」ように思う。ダマされたと思って、一度、実際に鏡の前で笑顔をつくってみてはどうか。

最初はバカバカしいと思っていても、自分の笑顔を見て不快になる人はいない。自分が笑っている顔を見ているうちに、なんとなくおかしくなり、はじめはつくり笑いだったのが、いつのまにか本当に笑っているのではないか……。

笑顔をつくるのは、人から好かれるためではない。笑顔でいたほうが自分が楽しいから、自分が楽だから、笑うのだ。

怒った顔や、ムスッとした表情は、どこかしら緊張があって疲れるものだ。その表情は、実は「ちゃんとした自分を見せよう」「ナメられてはいけない」という、緊張している心の表れではないのか。

それよりも、肩の力と一緒に顔の力も抜いて、笑ってしまったほうがいい。そのほうが自分も周りの人も楽で、なおかつ運も呼び込めるだろう。

66◎ミスや不運を引きずる人は、自ら次のミスや不運を招く

この章のはじめに紹介した、横峯さくらさんの父・良郎氏の「目の前の結果に一喜一憂するな」という教訓は、ゴルフというメンタル・スポーツを生業（なりわい）としている娘さんにとっては、とてもありがたい教えになるだろう。

ゴルフやテニスなどの個人競技をやったことのある人にはよくおわかりだろうが、ひとつひとつのプレーに全力をつくしているときほど、ミス・ショットしてしまった瞬間のショックは大きい。そこで「なんでこんな大切なところでミスするんだ」とカッとなったり、意気消沈したり……そのモヤモヤした気持ちを次のプレーにま

で引きずってしまうと、必ずミスを連発する。

そうなっては、もうアウトだ。今まで張りつめていた集中力がプツリと切れてしまい、立て直すことはかなり難しい。

そういうわけで、たとえミスをしても、怒らず、腐らず、淡々とプレーを続けていかないと安定したスコアが望めないというのがゴルフの厳しいところであり、プロとしてもっとも求められる部分なのだそうだ。

その意味でも「ミス・ショットしようが、ラッキーがあろうが、一喜一憂することなくプレーしなさい」という良郎氏の教訓が生きてくるだろう。

一般の私たちにとっても、この教えは役に立つ。例えば、会社でパソコン仕事をしていて、「やっと終わりが見えてきた」というときに、何かの不都合でフリーズしてしまったとしよう。ここまで頑張ってきて、もう少しで終わりというときだけにショックは大きい。実際、ほとんどの人は、悲鳴のひとつでも上げてしまうところだ。

大きな声で悪態をついたり、声もなく呆然（ぼうぜん）としたり、こういう場合の反応は人によってさまざまだろうが、問題はそのあとの心の持ちようである。幸いバックアップはとってあるから、三十分、遠回りをしたと思えばいいこと」

「腹立たしいけど、しょせん機械のやることだ。幸いバックアップはとってあるから、三十分、遠回りをしたと思えばいいこと」

と心を落ち着かせて、仕事に戻れるか。それとも、

「どうして、こんなにツイてないの。あと五分もあれば終わったのに……」

といつまでもそのショックを引きずったまま、仕事に戻るか。

前者のような考え方だと、失った時間は三十分ですむ。

しかし、後者のような人は、イライラしながらやったせいで、簡単な計算を間違って余計に時間がかかったり、ずさんな仕上がりになって結局やり直しになってしまったり、三十分どころか一時間も二時間も損をする。ひとつのトラブルによるダメージを二倍、三倍にもしていくのである。

確かに仕事の終盤になって、パソコンがフリーズしてしまうなんて、運がないと

しかいいようがない。

けれども、その運のなさを嘆いていても、どうにもならないのだ。

その「ツイていない」という思いを引きずってイライラすると、ひとつのミス・ショットが次のミス・ショットを呼び込むように、また新たなトラブルの落とし穴にはまる。

そのときには、本人は「あー、ホントに今日の私はツイていない。こんなことが次から次に起こるなんて」と思っているのかもしれないが、二番目、三番目の「ツキのなさ」を呼び込んでいるのは、実は「自分の心」なのである。

67◎「今が絶好調」のときほど、慎重であれ

不運が不運を招くこともあれば、ツキがツキを呼ぶということもある。

ツイていない状況が続くときというのは、えてして本人の対応の仕方に問題がある。スポーツの世界でも、長く勝負の世界で生きているベテランになるほど、「自分にツキがないな」と感じるときは、ジタバタせずにじっと我慢するという。

そこで「ああでもない、こうでもない」と焦ると余計に深みにはまるということを経験的に知っているのだろう。

では、逆に今、自分にツキがあって、もっとツキを呼び込みたいというときには、

そういう「クロウト」の人はどうしているのか。

やはり、ジタバタせずに、流れに身をまかせるものらしい。ツイているときというのは、特別にこちらから何かをしなくても、自然と上手い具合に回ってくれている。追い風が吹いているときの帆船のように勝手に前に進んでくれるのだから、あとは潮の流れや方向を見失わないように、舵とりだけに気をつけていればよい……と。

「今の自分はツイているから、何をやっても平気」と調子に乗りすぎると、いつのまにか収拾がつかなくなってしまうのだという。

恋愛でいえば、「あの人も捨てがたいし、この人も……」などとあちらこちらにいい顔をしているうちに、本当に大切な本命の人を逃してしまうときもある。

仕事ならば、「あれも、これも」と手を出しすぎたあげく、どれも中途半端に終わってしまい、結局は自分の評価を落としてしまう場合もある。

その道の「クロウト」にいわせると、自分で「ツキがあるな」と感じる頃には、

もはや運は下りに差しかかっているそうだ。スポーツ選手でいえば、「絶好調だ」と自覚したときには、すでに調子のピークは過ぎている。

本当に運や調子が上向いているときというのは、それまでのツキがなく調子の悪いところから我慢して、がんばっている最中で、その我慢や努力の結果がようやく表れ始めた頃だから、本人にははっきりとわからないというのである。

人間のバイオリズムの面からしても、体調のいいときは無理がきくので、自分が思っている以上にがんばり過ぎていたりするものだ。

そのピークを迎えたときには、疲労の蓄積もピークに達していて、体調を崩す危険性はむしろ高まっている場合もある。

だから、「ツキ」を感じるときこそ、自分を見失わないように慎重になりなさい、ということなのだろう。

これもまた、人生を長い目で運・不運、好・不調の繰り返しとして見た際の「戒め」のひとつなのに違いない。

確かに、「わが世の春」とばかりに、勢いにまかせてやりたい放題やっていたのが、そのピークを過ぎると無残なほどに落ちていったという人は、今も昔も無数にいる。やはり、調子のいいときでも、それまでと変わらず謙虚に、慎重にという姿勢が大切だ。

結局はそのほうが自分のツキを長く持続させることにつながり、つまりは長く幸せな人生を送ることができるのではないだろうか。

68◎「家族がいる」、ただそれだけでも運がいい

ここまで書いてきて、「今さら」の話になるかもしれないが、私たちにとって大切なのは、何をもって「ツイている」「幸運だ」と思えるのか、ということだろう。

例えば、「大金持ち」で、「広い邸宅」に、「何不自由なく」暮らしている人がいるとしよう。けれども、彼は孤独で、ひとりの家族もいないとしたら、はたして彼は、人生を通して「ツイている」「幸運だ」といえるのか、どうか。

というのは、私の知人で、若い頃に事業で成功を収め、大金持ちになった人が、実際にいたからだ。彼の人生が幸せだったのか、不幸せだったのか今となってはわ

からないが、「幸せ」をテーマに考えるときには、ふいに思い出す。

当時の彼の口からは、それは若さがそういわせたということなのだろうが、「オレはツイてる。何をやってもうまくいく」「神がオレを後押ししてくれている」「オレの運をみんなに分けてやる。みんな幸せになれよ」

……こんな威勢のいい言葉がぽんぽんと飛び出し、おそらく彼は、本気でそう思っていたのであろうが、周りにいる仕事の関係者やスタッフたちを引き連れては夜の銀座を遊び回り、「ツイている自分」を存分に楽しんでいた。

けれども十年も経たないうちに会社は人手に渡り、彼は五十歳になる前に現役を退き、あとは若いときの蓄えを食いつぶしながらの悠々自適（？）の生活……のように見えたが、それで八十歳まで生きた。

しかも奥さんは四十歳のときに病気で亡くなり、一人息子も成人式を迎える前に事故で亡くなっている。天涯孤独のまま、広い邸宅での、長い「ひとり暮らし」。晩年は、友人と会うのも避けるようになり、ひっそりと、この世からいなくなった。

彼は、仕事では、一時期「ツイていた」。普通の人では経験できない楽しみとお金を自分のものにすることができた。けれども、その代償というのではないが、家族運には恵まれなかったのである。

さて、あなただったら、

「仕事では運をつかんだが、家族運はつかめなかった」

「大金はつかめなかったが家族運はあり、今は子どもや孫に囲まれて生活している」

の、どっちが「ツイている」と思えるだろうか。どちらかを選べるとしたら、あなたは、どっちの「運」を選ぶだろうか。

私たちは、「ツイている」「運がいい」などというときは、ほとんどが「仕事のこと」「お金のこと」を念頭に考えている。けれども、今あなたの周りにいる家族のひとりひとりも、「いるのが当然」なのではなく、「運がいいから、いる」のである。

そういう考え方も、頭の隅に残しておいたほうが、あなたは幸せになれるだろう。

69◎きちんと準備する人に、幸運が舞い降りる

「禍福はあざなえる縄のごとし」とは昔の人は上手いことをいった。

まさに幸運と不幸は隣り合わせになっていて、順調かと思えば不幸なことが起こったり、その反対にどん底のときに素晴らしい幸運にめぐり合ったりすることもある。

あるいは、「災い転じて福となす」ということわざどおり、とてつもない災難のように思えたことが、それがきっかけで大きな幸せが訪れたり……。

どこかでも書いたように、窮地に陥るような大失敗が転機となり、そこから自分

の本当の生き方を見いだすことだって珍しくない。

悪いときにジタバタしてもしょうがない。「果報は寝て待て」という格言もある。「捨てる神あれば、拾う神あり」だ。

かといって、調子のよいときに、あまり図に乗らないこと。「一寸先は闇」であるのもまたしかり。「好事魔多し」ともいう。

……とまあ、思いつくままに人の運・不運にまつわることわざや格言の類を並べてみたが、それだけ昔から人間は運・不運の波に翻弄され続け、それになんとか対処しようと知恵を絞ってきたということに違いない。

「人事を尽くして天命を待つ」という格言もあった。

「人としてやることをやったのならば、その結果は天命に委ねるしかない」

という運やツキに抗うことのできない人間の限界と、

「神頼みをする前に、自分でやれることはすべてやりつくさなければ結果は出ない」

という人間の可能性。

その両方のニュアンスを含んだこの格言は、私もけっこう気に入っている。

結局、未来はおろか、一寸先も見えず、何が災いして、何が幸いするかもわからない一個の人間としては、決してあきらめることなく、前を向いてひたすら生きていくしかないのではないか。

その「あきらめずにひたすら生きていく」ことができるところが、人間の強さである。

そして、今日、「人事を尽くせ」ば、明日はきっと「素晴らしい天命が下る」と信じられる強さこそ、人間の最大の武器のように思うのだ。

最後に、もうひとつ。

幸せというものは、自分がつくるというよりも、誰かがそっと運んできてくれるもの、遠くから持ってきてくれるもの……そういう一面があるように思う。

いま、あなたが幸せなら、それはあなたがつくったものではなく、あなたの夫、

あなたの妻、あなたの子ども、あなたの恋人、あなたの友人……など、あなたの身近にいる人、あなた以外の誰かが、あなたにそっと運んできてくれたものだ。

そういうふうにも思うのだが、どうだろうか。

集英社文庫

「心の掃除」の上手い人 下手な人

2008年2月25日 第1刷
2011年6月30日 第24刷

定価はカバーに表示してあります。

著 者 斎藤茂太
発行者 加藤 潤
発行所 株式会社 集英社
東京都千代田区一ツ橋2-5-10 〒101-8050
電話 03-3230-6095（編集）
03-3230-6393（販売）
03-3230-6080（読者係）

印 刷 図書印刷株式会社
製 本 図書印刷株式会社

フォーマットデザイン アリヤマデザインストア　　マークデザイン 居山浩二

ISBN978-4-08-746269-2 C0195